Holger Hofmann

LAS MEJORES RECETAS CON

QUESO

Desde las más sencillas
a las más sofisticadas

EDITORIAL EVEREST, S. A.

MADRID • LEON • BARCELONA • SEVILLA • GRANADA • VALENCIA
ZARAGOZA • LAS PALMAS DE GRAN CANARIA • LA CORUÑA
PALMA DE MALLORCA • ALICANTE — MEXICO • BUENOS AIRES

Cubierta 1
Gratinado de calabacines y macarrones.
Ver página 17

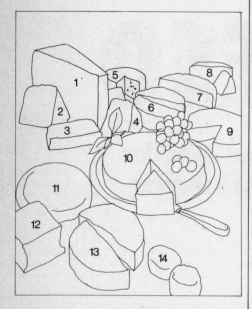

Holger Hofmann
Nació en 1919 en Berlín, aunque con
nacionalidad suiza. Ya durante sus estudios,
hasta licenciarse en Ciencias Económicas,
se dedicó a recopilar datos culinarios y a
extender sus conocimientos sobre la
materia, llevados a la práctica en diversas
ocasiones, entre ellas en 1960 tomando
parte en una semana de competición
culinaria celebrada con ocasión de la
fundación del "Club Kochender Männer"
(Club de cocineros), y en la que resultó
vencedor. Como editor del servicio de
prensa, responsable de la sección EL PLACER
DE COMER, Holger Hofmann es uno de los
autores culinarios profesionales más
populares, habiendo escrito una amplia
serie de libros, preferentemente dentro del
sector de vinos, bebidas y licores.
El libro publicado también por Everest,
bajo el título de "El gran libro de la cocina
de todo el mundo", galardonado con la
medalla de plata de la Academia de
Gastronomía, incluye una Introducción a la
sociología de la cocina, de la que Hofmann
es también autor.

Cubierta 2
Selección de quesos franceses:
1 Comté, 2 Roquefort, 3 Pont-l'Evêque,
4 de Chèvre (con hierbas), 5 Bresse Bleu,
6 Livarot, 7 Munster con comino, 8 de
Córcega (de oveja), 9 Munster, 10 de Brie,
11 Reblochon, 12 Glatte-paille (tipo
Camembert), 13 Camembert, 14 Fromage
de Chévre Crottin.

Cubierta 3
Fondue de queso al estilo de Neuchâtel. En
lugar del tenedor especial de tres pinchos
puede usarse cualquier otro tipo de tenedor
para fondue de carne.

En este libro encontrará

A manera de prólogo

El queso es uno de los alimentos más antiguos de la humanidad. Pese a todos los progresos logrados, en cuanto a los procedimientos de fabricación, sigue conservando su rusticidad en no pocos aspectos y al mismo tiempo constituye un auténtico manjar. Aunque no en todos los países se conocen las innumerables variedades de tan exquisito producto procedentes de más allá de sus fronteras, lo cierto es que cada vez es mayor el número de quesos que podemos adquirir en el mercado: Quesos franceses, italianos, alemanes, daneses, ingleses, suizos,..., aparte de la difusión de los quesos del país de cada comunidad autónoma. Este es un proceso por el que ya han pasado otros países. Así, por ejemplo, en la República Federal de Alemania, apenas si hace un par de décadas que se ha extendido el surtido de quesos procedentes de prácticamente todos los países europeos. Lo que los franceses ya sabían sobre el particular hace cientos de años, tan sólo los alemanes de esta generación han tenido oportunidad de ir conociendo paulatinamente. En España, especialmente desde su ingreso en la Comunidad Económica Europea, el proceso ya va siendo mucho más rápido y ya nadie duda de que, en la mayor parte de las ocasiones, una buena comida exige un buen queso.

El queso tiene la ventaja de sus múltiples aplicaciones. Encaja perfectamente en cualquier comida, puede servirse frío o caliente, presentado en lonchas, seco, duro, blando, etc. Por supuesto que para aprovechar tales ventajas es preciso disponer de un buen surtido y conocer, en detalle, las ocasiones realmente idóneas para cada variedad, a fin de que sus cualidades específicas y características puedan ponerse de relieve del mejor modo. En alguna medida, el conocimiento de ciertos aspectos de su elaboración pueden servirnos de ayuda para elegir acertadamente, razón por la cual, el lector encontrará también en las páginas de esta obra algunas indicaciones al respecto. No se ha querido insistir en detalles exactos sobre el contenido real de grasa, proteínas y aportaciones calóricas. En primer lugar, por razones de espacio y en segundo lugar, porque el intento no habría dado tampoco los resultados apetecidos, ya que los propios fabricantes no siempre proporcionan en las etiquetas o envases de sus productos tales datos.

Los tipos de queso que figuran en las recetas son quesos internacionales, en su gran mayoría perfectamente conocidos en cualquier país. Se ha prescindido, por lo tanto, de referirse a quesos más o menos locales o regionales, que por otra parte, si el lector posee ya ciertos conocimientos sobre quesos, sabrá, por sí mismo, sustituir por otros que ya le sean familiares y de características similares a los contenidos en las recetas. En tal sentido, esperamos que el lector encuentre en las siguientes páginas suficiente variedad, interesantes sugerencias, y tal vez también, no pocas sorpresas agradables de todo cuanto se puede hacer con el queso, ese delicioso manjar único del que ya en los tiempos antiguos se decía que para vivir, y no precisamente mal, "con queso, vino y pan, no hace falta más".

Holger Hofmann

Todas las recetas están calculadas, si no se indica lo contrario, para cuatro personas.

4

Lo más importante sobre el queso

También el queso tiene su historia

La producción quesera data de la prehistoria, según se ha podido comprobar a la vista de los utensilios descubiertos en las excavaciones arqueológicas. Se supone que, con independencia respecto a las diferentes culturas, en todos los círculos culturales, al producirse el período de transformación de los pueblos cazadores y recolectores en agricultores y ganaderos, también fué descubierto el queso. Cabe estimar que ya los pobladores de nuestro planeta en el Paleolítico, hace aproximadamente 120.000 años antes de nuestra era, hacían provisión de queso para la época invernal y los tiempos de escasez de otros alimentos. En el curso de los 12.000 años siguientes, hubo diversos períodos de perfeccionamiento de fabricación dentro de los diferentes grupos étnicos, comenzando así el resurgimiento de las distintas clases de quesos. A través de los historiadores antiguos, tales como Jenofonte o Herodoto, conocemos algunas particularidades referentes a la elaboración de los quesos. Si bien, como ya hemos señalado, la economía quesera surgió de manera aislada, como algo característico de cada ámbito cultural, sin ninguna relación común, no hay duda de que los pueblos adquirieron una cierta preponderancia en tal sentido, siendo Holanda, Suiza, Francia, Italia y Alemania, los países que aún hoy en día, a pesar del innegable progreso que se observa en otras latitudes, podemos decir que continúan en cabeza como productores y difusores de tipos y especialidades de carácter internacional. Hemos de señalar, no obstante, que dentro de la incorporación a la Comunidad Económica Europea de nuevos países, es muy probable que otros quesos, por ejemplo, los españoles, vayan introduciéndose cada vez más, dada su notable variedad dentro de su territorio. De todas formas, también debemos tener presente que determinados tipos de queso son imposibles de imitar, ya que los cultivos bacteriológicos necesarios solamente prosperan en determinados microclimas. El ejemplo más conocido, a este respecto, es el caso del famoso Roquefort francés cuya fabricación fuera de Francia se ha intentado infructuosamente en numerosas ocasiones y que, evidentemente, solamente en las montañas de su lugar de origen es donde madura con su inconfundible calidad.

Así se convierte la leche en queso

Queso fresco

El procedimiento más sencillo para convertir la leche en queso es elaborarla hasta obtener el requesón. La leche fresca se vierte en recipientes planos, se le añade un producto idóneo capaz de producir la acidez requerida para su coagulación y, una vez obtenida ésta, se filtra a través de un paño que hace las veces de un tamiz. Esta primitiva forma de fabricación del requesón o "queso fresco" era habitual en otros tiempos en casi todos los hogares, e incluso en la actualidad aún existen lugares donde sigue realizándose.

Siguiendo este procedimiento, la leche adquiere ciertas bacterias productoras de ácido láctico que son, precisamente, las que al alcanzar un número suficiente producen la coagulación de aquélla.

Hoy en día, el queso fresco se fabrica en complejos industriales sin necesidad de tener que esperar, como en la mayoría de los procesos de elaboración artesanal, que las bacterias contenidas en el aire acidulen la leche, ya que la coagulación se logra mediante adecuados cultivos de bacterias. Posteriormente, este tipo de queso se comercializa bajo nombres distintos con mayores o menores diferencias características de cada marca o tipo: queso de Burgos, Gervais, Philadelphia, etc. Este tipo de queso es muy apreciado también como producto inicial para la fabricación complementaria posterior de cremas y confituras. Otro subgrupo es el de los quesos de leche agria o suero, a base de queso fresco reposado del que existen, incluso, grandes variedades regionales. Mediante un posterior proceso de elaboración existen también los llamados "quesos blandos" o "quesos frescos" en base siempre a cuajada o requesón con exudación del suero. Como denominación global para todos estos quesos cabría decir que se trata de "quesos naturales", aunque tal concepto tan poco concreto puede dar lugar a equívocos, ya que también otros quesos son auténticos "productos naturales". Señalemos, finalmente, los quesos "fundidos" en el curso de su elaboración a base de quesos naturales y a los que se les añaden determinadas sustancias no lácteas, con el fin de aportarles diferencias específicas de sabor, aroma, etc.

Queso fundido

El queso fundido se debe a una invención del suizo llamado Gerber, quien en 1911 encontró la posibilidad de modificar los famosos quesos de su país en cuanto a su consistencia, de modo que pudieran conservarse también en pequeñas unidades, con la ventaja adicional de poder ser envasados de modo mucho más práctico y,

por lo tanto, más fácilmente transportables y de mejor venta. Al contrario de los quesos naturales, que se alteran constantemente bajo la influencia del aire, es decir "curándose" cada vez más con el consiguiente cambio de sabor, el queso fundido conserva éste practicamente inalterado. Se trata, pues, de un producto de prolongado tiempo de conservación que hoy día ha invadido el mercado, precisamente por estar exento de problemas, y que casi se ha convertido en un producto alimenticio de consumo diario.

Queso de leche dulce

La denominación de este tipo de queso se explica por el hecho de que la coagulación de ésta no requiere que esté ácida. La vaca posee por naturaleza un fermento soluble, en su cuarto estómago, que, en breve tiempo, permite que la leche se cuaje. Este "cuajo" obtenido de tal fermento ya se conocía y empleaba en la antigüedad para la elaboración del queso. Su ventaja consiste en que acorta el proceso de elaboración y que en el momento de producirse la coagulación se separa del suero acuoso.

En la práctica, la leche fresca ("dulce") se pone a calentar en grandes recipientes a una temperatura de 30 a 35° C. A continuación se le añaden unos pocos gramos de cuajo fresco (líquido o seco), cantidad en la que ya está calculado el posible porcentaje de las bacterias acidulantes que la leche ya ha absorbido, de por sí, procedentes del aire y que, por consiguiente, pueden aprovecharse.

Al cabo de 20 ó 30 minutos, la leche se cuaja adquiriendo la consistencia de un flan compacto. El siguiente paso dentro de la elaboración depende ya del tipo de queso deseado. En todo caso, siempre es preciso separar previamente el suero, como ya hemos dicho. Luego se corta la cuajada o el requesón en pequeños trozos y se amasa, siendo habitual calentar también la artesa que ha de acoger la pasta. El suero exudado suele emplearse para otros procesos de fabricación o para adicionarlo a determinados alimentos animales. La caseína restante, de gran valor, cantidad relativamente pequeña de queso fresco, se prensa luego en pequeños recipientes y se moldea conforme a las características propias del producto final.

Numerosos quesos, una vez que son factibles de manipulación, suelen ser salados una o varias veces. En cuanto al almacenamiento posterior, se distinguen dos procesos: en primer lugar el de fermentación, en el que la lactosa se convierte en ácido láctea y, en segundo lugar, la maduración, en el curso de la cual se modifican diversas bacterias o surgen otras que determinan el sabor característico del queso en cuestión.

La mayor parte de los quesos se fabrican a base de leche de vaca, pero también abundan los de leche de oveja. El representante más característico es el de Roquefort. Los quesos griegos o búlgaros también suelen ser de leche de oveja, al igual que muchos de los quesos regionales de nuestro país (gallegos, asturianos, etc.). Finalmente señalaremos que, con respecto a la calidad del producto final, es de gran importancia que la leche utilizada como base de su elaboración sea natural o pasteurizada, hasta el punto de que una u otra pueden ser la característica de la marca. Así, por ejemplo, Emmental siempre es de leche fresca, mientras que el Camembert, por lo general, se fabrica a base de leche pasteurizada. No obstante, en la práctica no existe ninguna distinción o denominación específica que permita una información exacta sobre el particular, aunque sí suele indicarse que se trata de queso pasteurizado el queso fresco, cuando el producto final se ha sometido a un proceso adecuado que garantice su mejor conservación.

Consejos para la compra y conservación del queso

Uno de los mayores placeres para quienes les encanta el queso es precisamente el hecho de comprarlo.

En los mercados locales uno se encuentra con frecuencia variaciones insospechadas de una clase de queso ya conocida y que, precisamente, sólo y exclusivamente se produce en aquella comarca o pequeña localidad, imposible, por lo tanto, de poder adquirir en ninguna otra parte. Pero no olvidemos que, por lo general, se trata de productos frescos a base de leche no pasteurizada, por lo que no debemos demorar demasiado su consumo. Con todo, la inmensa mayoría de los quesos que se consumen hoy en día se adquieren en su vistoso envase original dentro de un desorientador abanico de ofertas: en cajas, en trozos, en lonchas.

Muy importante es saber cuándo ha de comerse el queso que vamos a adquirir. En términos generales, el queso podemos conservarlo en casa tan bien como en la quesería. Si se trata de queso blando en su punto lo mejor será consumirlo inmediatamente. Si el Camembert o el Brie que nos ofrecen es más bien un tanto demasiado compacto, será preferible esperar dos o tres días antes de usarlo y dejarlo madurar en casa a la temperatura ambiente de un lugar fresco.

Lo más importante sobre el queso

El queso comprado en trozos, justamente en el punto que más nos gusta, lo mejor es no tardar en consumirlo y no comprar más que la cantidad prevista para tal consumo inmediato.

En lonchas se seca mucho antes. En cuanto al queso fundido, los problemas no existen, ni a la hora de comprarlo ni a la de conservarlo. Lo único que nos atreveríamos a afirmar es que, respecto a su sabor, tanto para bocadillos como para postre, generalmente no tienen comparación con otros quesos naturales.

La conservación ideal para un queso no pasteurizado es mantenerlo en la despensa del sótano o bodega. Pero ¿quién dispone hoy en día de semejante "lujo"? La nevera es nuestro único recurso, aunque siempre se ha dicho y se sigue diciendo que no es, ni con mucho, el lugar idóneo. Por otra parte, teniendo en cuenta que hasta el queso mejor envasado despide siempre un cierto olor, lo que sí debemos es mantenerlo siempre en un recipiente propio de plástico y, adicionalmente, cada tipo de queso debidamente envuelto en papel de aluminio, cuidando bien de que quede cubierta toda su superficie.

Los quesos frescos y blandos pueden conservarse en su envase original aunque estén empezados, siempre que la cajita se cierre bien y se mantenga la envoltura que traen de fábrica. Si son de corte, será preciso envolver el resto en papel de aluminio. Dado que el queso natural, en virtud de su contenido bacteriológico, siempre está en proceso de maduración, este proceso no debe interrumpirse guardándolo en la nevera. La única excepción es el queso rallado, que de por si se ralla cuando ha llegado al límite de su maduración, por lo que el frío de la nevera no deteriora en absoluto su sabor. Lo mismo cabe decir del queso blando maduro, que de no conservarlo en la nevera no tardaría en estropearse. Pero, en todo caso, recuerde que deberá envolverlo en papel de aluminio.

El queso mantenido en la nevera debe sacarse de ella 30 ó 60 minutos antes de usarlo y destaparlo para que pueda expander previamente su aroma. Si se trata de un queso congelado será preciso sacarlo del congelador varias horas antes.

Los trozos de queso grandes que no desee conservarlos en la nevera o que no deban conservarse en ella, necesariamente fresca, deberán envolverse en un paño de lino o de algodón.

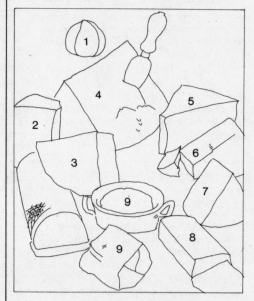

Los quesos de la fotografía de la derecha son quesos italianos.

1 = Provolone, 2 = Pecorino con pimienta, 3 = Pecorino, 4 = Parmesano, 5 = Fontina, 6 = Gorgonzola, 7 = Bel Paese, 8 = Taleggio, 9 = Mozzarella

El tema de la masa seca

Con el fin de disponer de unos valores comparativos de los componentes del queso, especialmente de su contenido en grasas, los fabricantes están obligados a indicar los índices resultantes de los análisis. Además deben evaporarse los ingredientes acuosos del queso, ya que, en ciertos casos pueden constituir un porcentaje considerable de su peso, debiendo figurar, por lo tanto, solamente los restos referidos a la grasa, proteínas, hidratos de carbono, minerales y elementos vestigiales. El contenido de grasa del queso se mide por el porcentaje contenido en la masa, designando abreviadamente con "Grasa en m.s." (Contenido graso en masa seca). Respecto a las diferentes clasificaciones y divisiones de las diversas variantes de queso, a veces difíciles de establecer, destaca la distinción en base al contenido de grasa. Esencialmente la masa seca aumenta en la medida en que se eleva el contenido graso de un queso, es decir, ambos valores están estrechamente interrelacionados. En la práctica, la división resulta un tanto compleja ya que, como ya hemos señalado, los límites entre unas y otras variedades no siempre son fáciles de definir debido, en parte, al grado de maduración. Durante el proceso de maduración o almacenamiento, el queso va perdiendo agua con lo que se eleva su contenido en masa seca y en grasa. Esto hace posible que un mismo queso, según determinadas características, se presente en unidades apropiadas para cortar en trozos o lonchas, como queso duro o blando o como extra duro rallado. Las fórmulas para la clasificación uniforme internacional presentan diversas variaciones. Así, por ejemplo, en la República Federal de Alemania, existen ocho categorías para diferenciar el grado de grasa de los quesos; en Austria y en Suiza, en cambio, sólo siete. Conociendo la cantidad de masa seca pueden calcularse los porcentajes de grasa, dentros de ciertos límites de tolerancia, aplicando la siguiente fórmula:

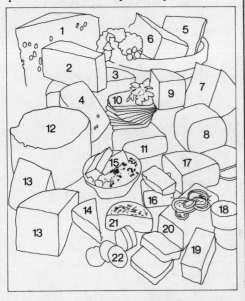

La fotografía de la izquierda muestra una selección de quesos de Suiza, Holanda, Dinamarca, Inglaterra y Alemania.
1 Emmental, 2 Greyerz, 3 Raclette de Gales, 4 Appenzell, 5 Sbrinz, 6 Berg, 7 Pikantje, 8 Edam, 9 Danablue, 10 Havarti, 11 Esrom, 12 Stilton azul, 13 Cheddar, 14 Bavaria blu, 15 Fresco, 16 Weisslack, 17 Queso de nata, 18 Queso de vino, 19 Romadur, 20 Limbrug, 21 Queso de leche agria de Bodenfeld, 22 Harz.

$$\text{Cantidad absoluta de grasa} = \frac{\text{Masa seca x Grasa en m.s.}}{100}$$

Queso duro, sabroso y exquisito

Sopa de Emmental

*40 g de mantequilla - 200 g de Emmental
8 rodajas finas de pan blanco - 1 1/4 l de caldo
de carne concentrado - 4 huevos - pimienta
recién molida.*
Por persona: 2 177 julios/520 calorías.

● Tiempo de preparación: 30 minutos.

Se prepara así: Engrasar 4 terrinas de sopa
refractarias. Cortar el queso en 12 lonchas.
Colocarlo en las terrinas alternando con el
pan, y procurando empezar y acabar con
una loncha de queso. Calentar el caldo,
repartirlo en las terrinas y meter al horno.
Calentar la parte superior del horno.
Después de 10 minutos, batir los huevos
con 2 cucharadas de agua y pimienta, regar
las terrinas con el batido y dejar que se
cuajen otros 10 minutos.

Combina bien: Con ensalada mixta.

Consomé con guarnición de albondiguillas de queso

*100 g de Emmental rallado - 8 cucharadas de
migas de pan fresco - 4 trozos de tuétano de un
hueso de caña - 4 yemas de huevo
2 cucharadas de cebollino - 1 cucharadita de
harina - sal - pimienta - 1 l de consomé doble.*
Por persona: 1 430 julios/340 calorías.

● Tiempo de preparación: 25 minutos.

Se prepara así: Mezclar el queso con las
migas de pan, el tuétano y las yemas, y
trabajarlo hasta obtener una masa
uniforme. Añadir la mitad del cebollino,
espolvorear de harina y salpimentar.
Calentar el consomé, formar albondiguillas
pequeñas con ayuda de 2 cucharillas y
echarlas en el caldo. Espolvorear con el
resto del cebollino. Cuando las
albondiguillas suban a la superficie puede
servirse el consomé.

Se sirve acompañado de tostadas o pan
moreno.

Caldo de carne con costrones de queso

*80 g de pan de barra - 150 g de queso suizo
(Greyerzer) - 1 l de caldo de carne
1 cucharada de perejil picado.*
Por persona: 890 julios/210 calorías.

● Tiempo de preparación: 15 minutos.

Se prepara así: Cortar el pan en 16
rebanadas finas, rallar grueso el queso y
extenderlo sobre el pan. Meter al horno
(o en tostador horizontal), y dejar que el
queso se funda y se introduzca bien en el
pan. Sacar cuando esté ligeramente dorado.
Repartir el caldo en 4 platos y adornar con
los costrones. Espolvorear de perejil
picado.

Salsa Mornay

1 cebolla - 30 g de mantequilla - 40 g de harina - 1/4 l de caldo de ternera o similar (cubitos o instantáneo) - 1/4 l de nata - 125 g de queso parmesano, Sbrinz, Emmental o Greyerzer - pimienta - sal.
Por persona: 1 799 julios/430 calorías.

• Tiempo de preparación: 15 minutos.

Se prepara así: Pelar y picar finamente la cebolla. Derretir la mantequilla en un cazo y glasear allí la cebolla. Sin dejar de remover, añadir la nata poco a poco y finalmente el queso. Salpimentar. Dejar reposar unos minutos, pasar por un cedazo y antes de servirla volver a calentarla.

Combina con coliflor, colinabo, puerros, salsifís, espárragos y espinacas.

Sugerencia: Existe en el mercado bechamel ya preparada, mediante la cual se acorta la preparación. El caldo y la nata (forma clásica) pueden sustituirse por leche fesca. Hay también otras clases de queso que le dan a la salsa un sabor diferente.

Vieiras gratinadas

1/4 l de vino blanco seco - 1/4 l de agua pimienta en grano (3 negros y 10 verdes, triturados) - 6 hojitas de estragón - 3 ramitas de perejil - sal - 16-20 vieiras - 60 g de mantequilla - 40 g de harina - 1/8 l de nata 80 g de queso Chester rallado - 4 cabecitas de champiñón fresco.
Por persona: 1 380 julios/330 calorías.

• Tiempo de preparación: 30 minutos.

Se prepara así: Hacer un caldo con el vino, el agua, los granos de pimienta, el estragón, el perejil y la sal y dejar que hierva 5 minutos. Meter allí las vieiras bien lavadas y dejarlas 3 minutos sin que vuelva a hervir el líquido. Engrasar 4 moldes pequeñitos refractarios, o 4 conchas, y repartir en ellas las vieiras. Colar el caldo de cocción y conservar. Derretir la mantequilla en un cazo, añadir la harina y 1/8 l de caldo. Sin dejar de remover ir añadiendo la nata y el Chester rallado. Si la masa quedase muy gruesa, añadir algo más de caldo. Lavar los champiñones, cortarlos en lonchitas delgadas, ponerlos por encima de las vieiras y cubrir con la salsa de queso. Gratinar al horno (225°C) durante 10 minutos.

Se sirve con vino blanco seco.

Hamburguesas al queso

400 g de carne picada (mitad novillo o ternera y mitad cerdo) - sal - pimienta - 1 cebolla picada fina - 2 cucharadas de perejil picado - agua 1 bollito de pan blanco - 2 huevos - 125 g de Emmental rallado - 1 cucharadita de mostaza picante - 40 g de mantequilla o margarina 8 rodajas de cebolla - 4 lonchas de Chester o Emmental.
Por persona: 4 020 julios/960 calorías.

● Tiempo de preparación: 50 minutos.

Se prepara así: Mezclar bien la carne con la sal, pimienta, cebolla, perejil, el bollito remojado y bien escurrido y los huevos. Finalmente añadir el queso y la mostaza. Formar 8 hamburguesas del mismo tamaño y freírlas por ambos lados. Poner por encima los aros de cebolla y cubrir con 1/2 loncha de queso. Tapar la sartén y dejar que se hagan, hasta que el queso empiece a derretirse y haya tomado algo de color.

Como guarnición: Patatas fritas, arroz blanco o puré de patata, así como espinacas o colinabo.

Cheeseburger

4 bollitos de leche - 40 g de mantequilla 2 hamburguesas fritas - 2 cucharadas de aceite 4 lonchas de Chester - 8 aceitunas rellenas 4 cucharaditas de salsa de chile o Ketchup al Curry - 1 guindilla en vinagre.
Por persona: 2 010 julios/480 calorías.

● Tiempo de preparación: 20 minutos.

Se prepara así: Abrir los bollos a la mitad y freír la parte de abajo en la mantequilla derretida. Partir asimismo las hamburguesas, poner aceite en una sartén y colocar allí las hamburguesas, con la parte cortada hacia abajo. Poner encima de cada hamburguesa 1 loncha de queso, tapar la sartén y freír hasta que el queso empiece a derretirse y caiga por los lados. Colocar las hamburguesas encima de la parte tostada de los bollos, poner encima del queso 2 aceitunas en lonchas en cada bollo, 1 cucharadita de salsa de chile y unas tiras de guindilla. Tapar con la parte superior del bollo y servir.

Se sirve con cerveza.

Sugerencia: Sobre el queso puede ponerse otro tipo de verdura en vinagre; por ejemplo, pepinillos en rodajas o cebollitas en aros.

Filetes de gallo empanados

800 g de filetes de gallo - 1 cucharada de zumo de limón - 1 cucharada de salsa de Worcester sal - pimienta - 4 cucharadas de harina 3 huevos - 6 u 8 cucharadas de pan rallado 80 g de parmesano o Emmental rallado 4 ó 6 cucharadas de aceite para freír - 40 g de mantequilla - 4 cucharadas de alcaparras 3 limones enteros.
Por persona: 2 720 julios/650 calorías.

● Tiempo de preparación: 30 minutos.

Se prepara así: Limpiar el pescado y pasarlo por una mezcla de zumo de limón y salsa Worcester. Salar ligeramente, pimentar y dejar reposar 30 minutos, colocando los filetes uno encima de otro. Pasar por harina y huevo. Mezclar el pan rallado con el queso, empanar los filetes de gallo y presionar el empanado. Freír por ambos lados en aceite caliente hasta dorarlos. Rehogar las alcaparras en la mantequilla y añadir la pulpa de los limones cortada en dados. Servir en una fuente y cubrir con la mezcla de alcaparras y limón.

Puede acompañarse con espinacas rehogadas.

Cordon bleu

Foto pág. 20

4 filetes grandes de ternera de 180 g cada uno pimienta - 200 g de Emmental en 4 lonchas 250 g de jamón magro cocido - 2 cucharaditas de mostaza - 2 huevos - 6 cucharadas de pan rallado - 60 g de mantequilla o margarina.
Por persona: 3 198 julios/764 calorías.

● Tiempo de preparación: 45 minutos.

Se prepara así: Hacer en cada filete una abertura lateral. Pimentarlos. Cada loncha de queso y jamón deben tener el mismo tamaño de la abertura. Envolver cada trozo de queso en una loncha de jamón. Meter este paquetito en la abertura hecha en el filete y coserlo. Cuando los filetes sean grandes se pone el relleno en la mitad y se dobla encima la otra mitad, sujetando con unos palillos. Frotar los filetes con mostaza, pasarlos por huevo y pan rallado y freírlos

en la grasa, primeramente un minuto, luego bajar el calor y freírlos 6 minutos por cada lado. Durante la primera mitad de la fritura tapar la sartén.

Jamón con salsa de queso

1 cebolla - 50 g de mantequilla o margarina 50 g de harina - 1/4 l de caldo de carne sin grasa - 1/2 l de leche fresca - 1/4 l de nata 250 g de Emmental rallado o Gouda curado 500 g de jamón cocido - sal - pimienta.
Por persona: 3 855 julios/921 calorías.

● Tiempo de preparación: 30 minutos.

Se prepara así: Pelar la cebolla y rallarla formando un puré. Derretir en un cazo la mantequilla o margarina, mezclar con el puré de cebolla, harina y caldo. Añadir, removiendo, la nata, y agregar el queso. Bajar la temperatura. Cortar el jamón en tiras medianas y calentarlo dentro de la salsa. Sazonar con sal y pimienta.

Combina con patatas al vapor y ensalada.

> **Sugerencia:** Si se tienen invitados por la noche, puede preparar la salsa con antelación. Al volver a calentar la salsa, hágalo al baño maría, ya que puede quemarse y pegarse al fondo del cazo.

Bistecs de pavo al estilo de Saboya

*600 g de bistecs de pavo o de pechuga de gallina
1 diente de ajo - sal - pimienta - 1 cucharada
de finas hierbas - 4 cucharadas de aceite de
oliva - 30 g de mantequilla - 30 g de harina
1/4 l de vino blanco seco - 1/8 l de nata
3 yemas de huevo - 150 g de queso rallado o
queso de Saboya (Tomme) cortado en dados.*
Por persona: 2 570 julios/615 calorías.

● Tiempo de preparación: 45 minutos.

Se prepara así: Partir los bistecs en
bocaditos, frotar uno por uno con el diente
de ajo, sazonarlos y espolvorearlos con las
hierbas. Calentar 3 cucharadas de aceite y
cuando esté hirviendo freír los trozos de
carne hasta que se doren. Con el aceite
restante engrasar un molde refractario y
repartir allí la carne. Tostar harina en la
mantequilla y añadir el vino y la nata.
Remover bien para que no se formen
grumos. Cuando haya enfriado un poco,
ligar con las yemas y remover con el queso.
Cubrir con ello la carne y meter al horno
precalentado a 225°C, durante 20 minutos.

Combina con arroz a la mantequilla y un
vino blanco seco.

Gratinado de berenjenas

*800 g de berenjenas - sal - pimienta - 50 g de
harina - 80 g de mantequilla o margarina
250 g de jamón cocido - 200 g de queso de
Appenzell en lonchas - 4 huevos - 60 g de queso
rallado (Sbrinz) - pimienta - 1 cucharada de
albahaca fresca o seca - sal.*
Por persona: 3 226 julios/770 calorías.

● Tiempo de preparación: 45 minutos.

Se prepara así: Lavar las berenjenas y
cortarlas en rodajas de 1 cm, sazonarlas por
ambos lados y enharinarlas. Poner en una
sartén la mitad de la grasa y freírlas hasta
que se doren. Con el resto de la grasa
engrasar una fuente refractaria grande y
plana y colocar allí las berenjenas en forma
superpuesta. Cortar el jamón en trozos.
Poner entre las berenjenas un trozo de
jamón y otro de queso, respectivamente.
Batir los huevos, mezclar con el queso
rallado y sazonar con pimienta, albahaca y
sal. Regar la verdura con el batido y meter
al horno precalentado a 180°C durante 30
minutos, hasta que la superficie esté
dorada.

Combina con arroz a la mantequilla o
patatas al vapor.

Endivias rellenas

800 g de endivias - sal - pimienta - 400 g de salchichas finas (ternera o pollo) - 1 cucharada de extracto de salsa para asados - 400 g de Greyerzer - 8 lonchas de bacon - 3/8 l de caldo de carne - 1 cucharada de perejil picado.
Por persona: 4 345 julios/1 038 calorías.

● Tiempo de preparación: 1 hora.

Se prepara así: Quitar a las endivias la cuña amarga y separar las hojas. Lavarlas y secarlas. Colocar la mitad de las hojas sobre una tabla de cocina y salpimentarla. Quitar la piel a las salchichas y mezclar bien la carne con el extracto de salsa. Extender la masa sobre las hojas de endivia y colocarlas, una al lado de otra, en una fuente refractaria. Cortar en dados la mitad del queso y ponerlos sobre el relleno presionando un poco. Cubrir con el resto de las hojas y finalmente colocar por encima las lonchas de bacon. Regar con el caldo de carne. Tapar con papel de aluminio y meter al horno precalentado a 200°C unos 30 minutos. Retirar el papel. Repartir por encima el resto del queso cortado en lonchas, salpicar de perejil y dejar dentro del horno hasta que el queso se haya fundido y tenga un bonito color dorado.

Combina con puré de patata o arroz blanco.

Souflé de calabacines

Foto de portada

600 g de calabacines - 400 g de tomates 3 cebollas medianas - 4 cucharadas de aceite de oliva - 150 g de Emmental - 200 g de macarrones cocidos - 1 cucharada de finas hierbas picadas finas (albahaca y romero) - sal pimienta - 2 huevos - 100 g de nata 1 cucharada de perejil picado.
Por persona: 1 600 julios/380 calorías.

● Tiempo de preparación: 45 minutos.

Se prepara así: Limpiar los calabacines y cortarlos en rodajas. Escaldar los tomates, pelarlos, cortarlos en 4 trozos y retirar los

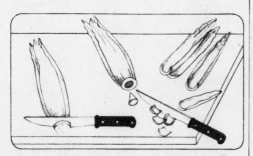

Cortar el comienzo de la raíz, sacar la parte amarga con un cuchillo (cortarlo en forma de cuña, y separar las hojas).

Cortar los tomates en forma de cruz y escaldarlos en agua hirviendo. De esta forma pueden pelarse fácilmente.

rabillos. Pelar las cebollas, picarlas y rehogarlas en aceite. Ponerlas en una fuente refractaria y con la grasa de freírlas, engrasar bien los bordes de la fuente. Colocar los calabacines sobre las cebollas y queso y espolvorear la mitad sobre la verdura. Poner encima los macarrones y sazonar con las hierbas. Salpimentar ligeramente. Batir los huevos con la nata y el resto del queso y regar con ello el conjunto. Meter al horno (precalentado a 180°C) y dejar que se dore la superficie. Espolvorear de perejil picado.

Gratinado sencillo de patatas

1/2 diente de ajo - 30 g de mantequilla - 1 kg de patatas - sal - pimienta - nuez moscada 1 huevo - 1/4 l de leche - 1/8 l de caldo de carne concentrado - 250 g de queso Emmental rallado, según el gusto, Havarti o Tilsit.
Por persona: 2 300 julios/550 calorías.

● Tiempo de preparación: unos 30 minutos.

Se prepara así: Picar el ajo muy menudo y con ayuda de una cuchara frotarlo en la mantequilla. Con esta mantequilla engrasar una fuente de gratinar plana o un molde refractario. Pelar las patatas, cortarlas en rodajas y repartirlas regularmente en la fuente. Caso de tener que poner varias capas, espolvorear con queso rallado entre capa y capa. Añadir sal, pimienta y nuez moscada. Batir el huevo con la leche y el caldo y regar con ello las patatas. Espolvorear con queso y meter al horno precalentado a 175°C, dejando que se gratine unos 30 minutos hasta que esté dorado.

Gratinado de patatas con embutido de carne

1 diente de ajo - 1 kg de patatas - 100 g de Emmental rallado - 400 g de embutido de carne 1/4 l de leche - 1/4 l de caldo de carne.
Por persona: 2 616 julios/625 calorías.

● Tiempo de preparación: 1 hora y 15 minutos.

Se prepara así: Pelar el ajo, cortarlo y frotar con él una fuente de gratinar. Pelar las patatas y cortarlas en rodajas, también el embutido. Cubrir el fondo de la fuente con las patatas, espolvorear de queso rallado y poner unas rodajas de embutido por encima. Poner otra capa de patatas, espolvorear de nuevo con queso rallado y colocar otras rodajas de embutido. Seguir esta operación hasta que estén repartidos los ingredientes; la última capa será de patatas. Según el gusto pueden salpimentarse las capas de patata. Regarlo con leche y caldo. El líquido debe llegar hasta arriba pero no debe cubrir las patatas. Gratinar una hora en horno precalentado a 175ºC. Debe quedar dorado.

Se sirve con sidra o vino blanco.

Ramequin. Esta especialidad suiza es un plato sabroso y rápido de preparar. Receta pág. 28. ▷

Tallarines de Suavia al queso

500 g de harina - 6 huevos grandes - sal - agua 250 g de queso Emmental (si se desea, puede ponerse una mezcla de 4/5 de Emmental y 1/5 de queso de Limburg) - 1 cebolla - 100 g de mantequilla.
Por persona: 4 360 julios/1 040 calorías.

• Tiempo de preparación: unos 35 minutos.

Se prepara así: Formar una masa suave con la harina, los huevos, la sal y el agua. En una cazuela grande poner a hervir agua con sal. Cortar los tallarines con una paleta o con una máquina especial y verterlos en el agua hirviendo. Dejar que hiervan un momento (eventualmente pueden ponerse pequeñas porciones), y sacarlos con una espumadera. Colocarlos en una fuente grande y repartir el queso entre los tallarines. Meterlos unos minutos al horno, precalentado a 100°C. Mientras tanto, picar la cebolla muy menuda, derretir la mantequilla y freír en ella la cebolla hasta que tenga un color dorado claro. Echarla sobre los tallarines. En la región de Suavia se acostumbra salpicar los tallarines antes de echar la mantequilla.

◁ Según instrucciones de la foto contigua mostramos cómo se prepara el Cordon bleu, un plato típico de la cocina internacional. Receta pág. 15.

Tortilla de espárragos

Ingredientes para 2 personas:
3 huevos - 2 cucharadas de nata o agua - sal 40 g de mantequilla o margarina - 100 g de puntas de espárragos - 60 g de queso Emmental rallado o cualquier queso similar bien curado 1 cucharada de perejil picado.
Por persona: 920 julios/220 calorías.

• Tiempo de preparación: 15 minutos.

Se prepara así: Batir bien los huevos con la nata o el agua y algo de sal. Derretir la grasa en una sartén, añadir el batido de huevo y, tan pronto empiece a cuajarse, echar los espárragos bien escurridos. Espolvorear de perejil y queso y doblarla, dejando que se haga hasta que la superficie esté dorada.

Puede servirse con pan de pueblo y jamón serrano.

Soufflé de macarrones

350 g de macarrones - sal - agua - 1 cebolla 200 g de bacon - 1/4 l de nata - 4 huevos 3 cucharadas de tomate Ketchup - 200 g de queso Emmental rallado - pimienta - albahaca orégano.
Por persona: 4 480 julios/1 070 calorías.

• Tiempo de preparación: 1 hora.

Se prepara así: Cocer los macarrones en agua de sal y escurrirlos. Picar menuditos la cebolla y el jamón y rehogarlos en una sartén. Mezclar con los macarrones. Batir la nata con los huevos, el tomate y el queso rallado y sazonar con pimienta. Colocar los macarrones en una fuente refractaria y regarlos con el batido de huevos y nata. Espolvorear con las hierbas y meter al horno, precalentado a 200°C, hasta que se cuajen y queden de un bonito color tostado.

Se sirve con ensalada mixta.

Tartaletas de queso

Foto pág. 38

Ingredientes para 4-6 personas:
250 g de harina - 125 g de mantequilla
1 huevo pequeño - 1 pizca de sal - 1 ó 2
cucharadas de agua - 600 g de queso rallado
(Appenzell o Gruyère) - 1/4 l de nata - 3 ó 4
huevos - 1 cucharadita de mostaza picante
1 cucharadita de pimentón.
Por persona: 6.300 julios/1.500 (1.000) calorías.

- Tiempo de reposo: 2 horas.
- Tiempo de preparación: 1 hora.

Se prepara así: Tamizar la harina y amasarla con la mantequilla partida en trocitos. Ir añadiendo el huevo, la sal y el agua. Envolver la masa en papel de aluminio y dejar que repose 2 horas en el frigorífico. Precalentar el horno a 200°C. Remover el queso con la nata y añadir los huevos batidos. Sazonar con mostaza y pimentón. Extender la masa fría con el rodillo y cortar 16 discos de 12,5 cm de diámetro y de 2 mm de espesor. Forrar con

los discos unos moldes de tartaleta y presionar bien los bordes. Rellenar hasta el borde con la masa de queso, alisarlo y meter al horno, en la parte central, de 25 a 30 minutos.

Sugerencia: Estas tartaletas calientes combinan bien con una ensalada de pimientos, calabacines, champiñones y aceitunas negras.

Souflé de queso al estilo suizo

Foto pág. 55

60 g de mantequilla o margarina - 60 g de
harina - 3/8 l de leche - sal - pimienta - nuez
moscada - 6 yemas de huevo - 6 claras
100 g de queso rallado Emmental o Gruyère.
Por persona: 1.959 julios/468 calorías.

- Tiempo de preparación: unos 50 minutos.

Se prepara así: Derretir 40 g de mantequilla, añadir la harina y la leche y remover para que no se formen grumos. Sazonar con sal, pimienta y nuez moscada. Seguir removiendo hasta que la salsa esté suave y retirar del calor. Tan pronto se haya enfriado la salsa, añadirle las yemas de huevo y el queso rallado. Batir las claras a punto de nieve y añadirlas. Con el resto de la mantequilla engrasar un molde de souflé, llenarlo con la masa y meter al horno (precalentado a 150°C) durante 15 minutos. Aumentar el calor a 200°C y dejar que siga haciéndose otros 15 minutos, hasta que el suflé suba y la superficie esté dorada. Pincharlo con una aguja de hacer punto para probar si está cocido. Servir rápidamente.

Variante: En dos moldes pequeños cascar un huevo en cada uno. Después del primer tiempo de horneado empujar los moldes hacia delante sin sacarlos del horno. Hacer un hoyo en la masa y meter allí el huevo. Volver a meter rápidamente la bandeja hacia dentro y dejar que acabe de hacerse.

Hacer unos cortes en el borde del suflé para evitar que se rompa al hornearlo. A la derecha: Variante con huevos.

Arroz al estilo de Tesino

500 g de tomates - 1 cebolla grande - 2 dientes de ajo - 3 cucharadas de aceite de oliva - 300 g de arroz de grano redondo - 2 cucharadas de puré de tomate - 5/8 l de caldo caliente de carne 50 g de mantequilla - 100 g de queso rallado.
Por persona: 2 500 julios/600 calorías.

● Tiempo de preparación: 40 minutos.

Se prepara así: Escaldar los tomates, pelarlos y cortarlos en dados. Picar la cebolla y los ajos muy finos. Calentar el aceite en una cazuela y glasear allí la cebolla y los ajos picados. Añadir el arroz y rehogarlo también. Remover los dados de tomate y el puré de tomate y finalmente regar todo con el caldo caliente. El arroz debe estar casi cubierto. Taparlo y dejar que se haga a fuego lento. Después de un rato añadirle el resto del caldo. Cuando esté cocido añadir la mantequilla y el queso rallado.

Un buen acompañamiento para unos filetitos de ternera. Se sirve con vino blanco.

Polenta a la italiana

1 1/4 l de agua - sal - 250 g de sémola de maíz 125 g de queso parmesano rallado - 40 g de mantequilla.
Por persona: 1835 julios/440 calorías.

● Tiempo de preparación: 30 minutos.

Se prepara así: Salar el agua y ponerla a hervir. Añadir la sémola sin dejar de remover, dejar en ebullición 5 minutos y finalmente otros 20 minutos a fuego lento. Remover de vez en cuando con una cuchara de madera y rascar el fondo para que no se pegue. Cuando esté cocida la sémola, retirarla del fuego y añadir la mitad del queso rallado. Engrasar abundantemente un molde de suflé, verter allí la masa, alisarla, espolvorear con el resto del queso y meter al horno (precalentado a 200°C) hasta que se derrita el queso y esté dorado.

Se sirve con carne picada, ragú y vino del país.

Polenta a la americana

150 g de cebollas - 100 g de mantequilla o margarina - 1/2 l de agua - sal - 175 g de sémola de maíz - 200 g de queso rallado (Chester/Cheddar) - pimienta negra - Tabasco 2 claras de huevo.
Por persona: 2 344 julios/560 calorías.

• Tiempo de preparación: 50 minutos.

Se prepara así: Pelar las cebollas y picarlas. Derretir en una sartén la mitad de la mantequilla y glasear las cebollas. Poner a hervir agua con sal y, sin dejar de remover, añadir la sémola de maíz. Dejar hervir 3 minutos a baja temperatura y añadir las cebollas y el queso. Dejando aparte un pequeño resto, añadir la mantequilla, sazonar con las especias y finalmente añadir las claras a punto de nieve. Engrasar un molde refractario, llenarlo con la masa y meter al horno (a 175°C) durante 30 minutos hasta que la superficie esté dorada.

Sugerencia: Para la polenta puede usar cualquier otro queso rallado. También se puede dejar enfriar la masa en una bandeja del horno, cortarla en trozos y, antes de servirla, meterla al horno y gratinarla espolvoreándola antes con queso.

Croquetas de queso

250 g de miga de pan blando fresco y sin corteza 1/8 l de leche - 2 yemas de huevo - 1 clara de huevo - 100 g de queso Emmental rallado 1 cucharadita de agua de azahar o en su lugar licor de naranja - 1 pizca de canela y sal aceite.
Por persona: 1 391 julios/333 calorías.

• Tiempo de preparación: 30 minutos.

Se prepara así: Remojar en la leche la miga de pan y después de 10 minutos exprimirla bien. Separar la miga húmeda y trabajarla, en una fuente, con las yemas y las claras. Ir añadiendo el queso rallado, el agua de azahar o el licor y sazonar con canela y sal. Con las manos húmedas formar pequeñas croquetas y freírlas en abundante aceite bien caliente hasta que estén doradas.

Se sirven como guarnición de lechazo asado o carne de ave.

Fondue de queso al estilo Neuchâtel

Foto 3ª cubierta

Esta famosa comida de la parte occidental de Suiza exige algunos utensilios típicos para tener la certeza de que se sirve con toda su autenticidad: Un infiernillo de alcohol (Rechaud) o una pequeña placa eléctrica, un cazo de barro o arcilla (Caquelon), que también puede ser de acero afinado. Además, tenedores largos especiales, con tres dientes.

350 g de queso Emmental - 350 g de Gruyère
1 diente de ajo - 1/2 l de vino blanco seco
2 cucharadas rasas de maizena - 6 cl de Kirsch
pimienta - nuez moscada - 800 g de pan blanco
de barra estilo francés.
Por persona: 5 740 julios/1 371 calorías.

● Tiempo de preparación: 20 minutos.

Se prepara así: Cortar el queso en dados. Cortar el ajo y frotar con él la parte interior de la cazuela de fondue. Añadir el vino y ponerlo a hervir. Añadir el queso y, sin dejar de remover, desleír el queso en el vino caliente. Cuando en la masa se formen burbujas, añadir la maizena desleída en el Kirsch. Sazonar con pimienta y nuez moscada. Colocar la cazuela de la fondue en el centro de la mesa sobre una placa de metal o porcelana. Si hay que calentarlo repetidas veces hay que tener cuidado de que no vuelva a hervir. Conviene, por ello, regular la temperatura. Cortar el pan en rodajas y éstas en 4 trozos. Colocarlo en una cestita cerca de la fondue. Cada comensal pinchará con su tenedor un trocito de pan y lo mojará en la crema caliente. Antes de comerlo habrá de esperar unos segundos hasta que se haya enfriado un poco. El que pierda su trozo de pan dentro de la fondue, pagará una ronda de Kirsch, según una vieja costumbre suiza. Esta alegre y amistosa comida finaliza cuando haya desaparecido de la fuente el último resto de queso.

Se sirve con vino blanco seco o té negro caliente sin endulzar.

Sugerencia: Según la antigua usanza, con la fondue no se sirve ningún otro ingrediente. Hoy en día, sin embargo, se sirven pepinos, cebollitas en vinagre, pepinillos, encurtidos variados, carne fría y fruta.

Variante - Fondue al estilo de Appenzell
Usted puede preparar otras clases de fondues con diferente sabor. De este modo se puede preparar al estilo de Appenzell, usando sólo queso de aquella región.

Variante - Fondue al estilo de Friburgo
Para esta fondue se necesita una mezcla, a partes iguales, de Gruyère y Vacherin de Friburgo. Según otra versión puede hacerse también sólo con Vacherin.

Variante - Fondue al estilo de Ginebra
Para esta fondue se necesita una mezcla, a partes iguales, de Gruyère y queso especial para Raclette. También lleva setas picadas (colmenillas).

Variante - Fondue al estilo de Suiza oriental
En la parte oriental de Suiza se prepara con Gruyère, Appenzell y Tilsit, a partes iguales.

Quiche lorraine

Foto pág. 37

Ingredientes para 6-8 personas:
Para la masa: 125 g de mantequilla blanda
200 g de harina - 3 cucharadas de agua fría
sal - pimienta - 1 cucharada de queso
Emmental rallado - 1 diente de ajo.
Para el relleno: 5 lonchas de jamón cocido de
1/2 cm de grueso (unos 500 g) - 100 g de
jamón serrano no muy salado - 3 ó 4 cebollas
hierbas frescas abundantes, según la estación
3 dientes de ajo - 8 huevos - pimienta - sal
200 g de Emmental rallado - 200 g de nata.
Por persona: 4 605-3 455 julios/1 100-825 calorías respectivamente.

• Tiempo de preparación: 50 minutos.

Se prepara así: En una fuente amasar la mantequilla blanda con la harina. Añadir el agua fría, salpimentar y mezclar el queso rallado. Aplastar un ajo y echarlo a la masa. Dejar reposar la masa 1 hora en lugar fresco. Mientras tanto, cortar en dados las 2 clases de jamón, picar la cebolla, las hierbas y machacar los ajos. Mezclar en una fuente las cebollas, el jamón, las hierbas y los ajos y ponerlo aparte. Batir los huevos en otra fuente, salpimentarlos y añadirles el queso Emmental y la nata. Remover todo bien. Después de reposar la masa, aplastarla con los dedos y forrar con ella un molde plano, dejando un borde alto. Meter al horno en la parte central (a 200°C) y hornear 10 minutos. Luego cubrir la masa con la mezcla de jamón y hierbas y rociar todo con los huevos, el queso y la nata. Volver a meter al horno en la parte central y hornear a 250°C durante 30 minutos. Servir caliente.

Se sirve con vino clarete.

Raclette

1/2 queso especial para fundir (unos 3 kg)
1 kg de patatas cocidas con piel - pepinillos
cebollitas en vinagre - unos trozos grandes de
pimiento - pan de pueblo con corteza crujiente
pimienta recién molida - pimentón.
Por persona: 2 930 julios/700 calorías.

• Tiempo de preparación: 1 1/2 - 2 horas.

Se prepara así: Raspar la corteza al queso y limpiar con agua y un cepillo fuerte. Sujetar el queso en la Raclette (especie de

El asidero de la estufilla de la Raclette puede sujetar fácilmente medio queso.

estufilla), poniendo la parte del corte enfrente del calor. Tan pronto como el queso empiece a fundirse, recogerlo con una paleta y ponerlo en un plato. Acompañarlo con una patata cocida con piel y verduras agrias. El queso se espolvorea con pimienta y pimentón y se acompaña con la patata. Como la Raclette sólo hace una porción de queso cada vez, los comensales deben esperar hasta que les toque el turno. Mientras tanto pueden tomar una copa de vino. Puede hacerse tanto queso como apetezca. Y si queda algo sobrante, puede emplearse de nuevo, naturalmente.

Se sirve con vino blanco o té negro, además de licor de frutas como Kirsch, licor de ciruelas o licor de arándanos.

Sugerencia: Cuando se usan aparatos tipo sartén individual, se calculan por persona de 200 a 300 g de queso. Si tiene pocos invitados y usa una "estufilla de mesa", recomendamos, en ese caso, poner salvamanteles, para que cada comensal coloque su sartencita.

Pastel de queso y cebolla al estilo suizo

250 g de harina - 1 cucharadita de sal - 125 g de mantequilla - agua - 2 cucharadas de aceite 3 ó 4 cebollas medianas - 250 g de Emmental rallado u otro queso duro similar - 3 huevos 1/4 l de leche entera - 1/8 l de nata - una pizca de nuez moscada y pimentón.
Por persona: 3 920 julios/930 calorías.

● Tiempo de preparación: 50 minutos.

Se prepara así: Poner la harina en una fuente, espolvorear de sal, repartir la mantequilla en copos y amasar bien. Añadir unas cucharadas de agua helada hasta que la masa quede fina y no esté pegajosa. Forrar un molde plano con la masa y presionar con los dedos hasta alisarla bien. Dejar un borde de 3 cm todo alrededor. Hornear a 200°C unos 10 minutos en la parte central. Se puede tapar la masa con un papel de aluminio para que no se tueste. Calentar el aceite en una sartén y glasear allí la cebolla cortada en rodajas. Esparcirla sobre la masa ya horneada. Espolvorear con el queso. Batir los huevos con la leche, la nata y las especias y regar con ello el queso. Hornear 10 minutos a 175°C. Luego aumentar la temperatura y dejarlo en el horno (10-15 minutos) hasta que el líquido haya cuajado y tenga un color dorado. Se sirve caliente como primer plato o también de segundo.

Se sirve con zumo de manzana, sidra, vino blanco o tinto.

Ramequin

Foto pág. 19

*12 rodajas finas de pan de molde - 1 taza de
leche - Mantequilla para el molde - 4 huevos
1/2 cucharadita de sal - Una mezcla de 1/4 l
de leche y 1/4 l de nata - 150 g de Emmental
rallado.*
Por persona: 3 080 julios/730 calorías.

• Tiempo de preparación: 35 minutos.

Se prepara así: Ablandar las rodajas de pan
en la leche y colocarlas sobrepuestas en
una fuente de horno. Remover los huevos
con la sal, la leche, la nata y el queso y
regar con ello el pan. Cubrir con papel de
aluminio y meter al horno (precalentado a
175°C). Después de 20 minutos retirar el
papel de aluminio y dejar que se dore la
nata. Según el gusto, al momento de servir,
espolvorear de pimienta o pimentón.

Costrones
de queso al estilo
Emmental

*160 g de jamón cocido en 4 lonchas - 40 g de
mantequilla - 4 rebanadas de pan blanco de
molde - 200 g de queso Emmental en 4 lonchas
4 huevos.*
Por persona: 2 347 julios/560 calorías.

• Tiempo de preparación: 20 minutos.

Se prepara así: Freír ligeramente el jamón
y dejar aparte. Derretir el resto de la
mantequilla en la sartén y freír el pan por

ambos lados. Colocar encima el jamón,
cubrir con el queso y, tapado, freír unos
minutos hasta que el queso empiece a
derretirse. En otra sartén freír los huevos y
colocar uno sobre cada costrón de pan.

Tostadas de carne
picada

*250 g de carne picada - 1 cebolla pequeña
1 cucharada de alcaparras - 2 cucharadas de
tomate Ketchup - sal - pimienta - 4 anchoas
picadas o la misma cantidad de pasta de
anchoas - 1 huevo - 1 cucharadita de mostaza
1 cucharada de coñac - 40 g de mantequilla
4 rebanadas de pan de molde - 4 lonchas de
queso Chester.*
Por persona: 1 840 julios/440 calorías.

• Tiempo de preparación: 30 minutos.

Se prepara así: Mezclar bien la carne con
la cebolla bien picada y el resto de los
ingredientes, incluido el coñac. Derretir la
mantequilla en una sartén y freír el pan
ligeramente por ambos lados. Repartir la
carne sobre las 4 tostadas, cubrir con el
queso y hacer al grill hasta que el queso se
funda y la superficie esté dorada.

Se sirve con cerveza

Tostadas de champiñones y espinacas

Foto pág. 56

250 g de espinacas - 1 cucharada rasa de mantequilla - sal - pimienta blanca - 120 g de champiñones rehogados - 4 rebanadas de pan blanco de molde - 2 cucharadas de margarina 4 lonchas de jamón cocido - 4 lonchas de Emmental - pimentón dulce.
Por persona: 1 423 julios/340 calorías.

● Tiempo de preparación: 25 minutos.

Se prepara así: Limpiar las espinacas, lavarlas y escurrirlas. Calentar la mantequilla en una cacerola, rehogar las espinacas y salpimentarlas. Escurrir los champiñones y cortarlos en rodajitas. Tostar el pan por ambos lados, untarlo de margarina y cubrirlo con el jamón. Poner luego las espinacas bien escurridas y los champiñones. Salar ligeramente. Cubrir los panes con el queso y espolvorear con pimentón. Meter al horno, a 225°C, en la parte superior y dejar de 8 a 10 minutos.

Tostadas de jamón y queso "Hawai"

4 rebanadas de pan blanco de molde - 60 g de mantequilla - 4 rodajas de piña fresca - 250 g de jamón cocido en 4 lonchas - 1/2 cucharadita de jengibre en polvo - 4 cucharaditas de Mango/ Chutney - 4 lonchas de Chester o Emmental de 50 g cada una.
Por persona: 1 980 julios/470 calorías.

● Tiempo de preparación: 20 minutos.

Se prepara así: Freír el pan en 30 g de mantequilla sólo por un lado y, a continuación, freír la piña. Retirar la sartén, dar la vuelta a las tostadas y cubrir la parte tostada con el jamón. Poner en cada tostada una rodaja de piña y espolvorear de jengibre y untar el centro con Mango-Chutney. Cubrir con el queso. Tapar la sartén y dejar que se haga hasta que el queso se funda.

Se sirve con vino blanco.

Tartaletas de queso

400 g de hojaldre congelado - 400 g de Gruyère rallado - 2 cucharadas rasas de harina - 200 g de nata - 2 huevos - sal - pimienta - nuez moscada.
Por persona: 4 405 julios/1 052 calorías.

• Tiempo de preparación: 50 minutos.

Se prepara así: Descongelar el hojaldre según instrucciones, estirarlo con el rodillo y forrar 12 moldes de tartaletas (pueden usarse de aluminio). Mezclar el queso rallado con la harina, la nata, los huevos, la sal, la pimienta y la nuez moscada. Repartirlo en los moldes y hornear a 200°C unos 25 minutos hasta que estén doradas.

Se sirven con ensalada de tomate, cerveza o vino tinto.

Welsh Rarebits

5 cucharadas de cerveza - 250 g de queso Chester rallado o Cheddar - 1 cucharada de harina - 20 g de mantequilla - salsa Worcester mostaza picante - tabasco - 4 rebanadas de pan blanco de molde.
Por persona: 1 507 julios/360 calorías.

• Tiempo de preparación: 15 minutos.

Se prepara así: Calentar la cerveza en una cacerola y desleír en ella el queso. Sin dejar de remover añadir la harina, la mantequilla y sazonar con salsa Worcester, mostaza y Tabasco. Tostar el pan , extender por encima la masa de queso y hornear a 175°C unos 10 minutos.

Se sirve con cerveza.

> **Sugerencia:** Cuando se haya retirado la crema de queso del fuego, se pueden añadir de 1 a 2 yemas de huevo.

Pastel de hinojo

2 bulbos de hinojo - sal - agua - 100 g de tocino graso ahumado - 20 g de mantequilla o margarina - condimento en polvo - 10 gotas de Tabasco - 1 cucharada de miel - 50 g de queso parmesano rallado - 400 g de pasta de hojaldre congelada - 1 cucharada de mantequilla derretida - 1 huevo.
Por persona: 3 430 julios/820 calorías.

• Tiempo de preparación: 1 hora.

Se prepara así: Limpiar el hinojo, partirlo a la mitad, ponerlo en agua fría y cocerlo. Cuando haya cocido 3 minutos, quitarle el agua y poner el hinojo a enfriar en una rejilla. Mientras tanto, colocar el tocino en un molde de papel de aluminio (de usar y tirar) y engrasar bien las paredes del molde. Cortar el hinojo en trozos de 3 a 5 cm de largo, ponerlos en un colador y dejar que escurran bien. Verterlo en una fuente honda, condimentar y regarlo con el Tabasco mezclado con la miel. Poner el hinojo en el molde y espolvorear de queso rallado. Estirar la masa de hojaldre con el rodillo dejando un grosor de 3 a 5 mm, colocarla sobre los trozos de hinojo y presionarla. La masa, a ser posible, debe estirarse y llegar al fondo del molde para que el relleno quede bien cerrado. Picar la masa con un tenedor y pintarle la superficie con una mezcla de mantequilla y yema de huevo. Calentar el horno a 150°C y cocer unos 30 minutos hasta que la superficie esté dorada.

Se sirve con vino rosado o un tinto suave.

Bollitos calientes de queso a la escocesa

4 bollitos de centeno - 3 cucharadas de Whisky
200 g de queso Stilton o Cheshire
2 cucharadas de crema fresca - 1 cucharada de
mostaza - pimienta negra - 1 huevo.
Por persona: 1 720 julios/410 calorías.

• Tiempo de preparación: 30 minutos.

Se prepara así: Cortar a los bollitos una tapa fina y vaciarlos hasta llegar a la corteza. Rociar su interior con 1/2 cucharadita de Whisky en cada bollito. Desmenuzar el queso y fundirlo al calor junto con la crema fresca y el resto del Whisky. Cuando la masa esté fina y empiece a hacer burbujas, añadir la mostaza y sazonar con pimienta. Retirar del fuego. Batir el huevo y añadirlo a la masa cuando haya enfriado un poco.

Repartir la masa en los 4 bollitos y hacer al horno (a 175°C) unos 20 minutos. Servirlos calientes.

Ensalada de queso al estilo Appenzell

300 g de queso Appenzell - 300 g de pecho de
buey cocido y frío - 2 cebollas rojas
8 rabanitos - 4 cucharadas de vinagre de
manzana - 6 cucharadas de aceite - sal
pimienta recién molida - 1 cucharada de
cebollino picado - 1 cucharada de perejil picado.
Por persona: 2691 julios/643 calorías.

• Tiempo de preparación: 25 minutos.

Se prepara así: Cortar el queso y la carne en bastoncillos, pelar las cebollas y picarlas gruesas, cortar los rabanitos en rodajitas. Mezclar todo bien. Batir el aceite y el vinagre, sazonar y añadirlo a la ensalada. Espolvorear con las hierbas y dejar reposar una 1/2 hora. Durante este espacio de tiempo remover dos veces la ensalada.

Se sirve con cerveza y pan de pueblo.

El queso de corte y sus múltiples usos

Sopa de queso a la danesa

1/2 l de caldo de carne - 350 g de queso Samsø rallado - 60 g de mantequilla - 1/4 l de leche 4 yemas de huevo - 2 panecillos - 1 cucharada de perejil picado.
Por persona: 2 176 julios/520 calorías.

● Tiempo de preparación: 20 minutos.

Se prepara así: Hervir el caldo. Poner el queso en una cazuela esmaltada y añadir el caldo hirviendo. Dejar que cueza 10 minutos a baja temperatura, removiendo de vez en cuando. Cuando el queso se haya diluido, apartar 6 cucharadas del líquido y poner aparte. Añadir al caldo mantequilla y leche y dejar que dé un hervor. Desleír las yemas en el caldo que se ha separado y que debe estar algo frío. Retirar la cazuela del fuego y añadir las yemas sin dejar de remover. Cortar los panecillos en rodajas y tostarlas por ambos lados en una sartén caliente y sin grasa. Repartirlas en 4 platos soperos, regarlas con el caldo y espolvorear con perejil.

Sopa de patatas a la danesa

300 g de patatas - 250 g de cebollas - 40 g de mantequilla salada - cubitos para 1 1/2 l de agua - 1/8 l de nata agria - 150 g de queso rallado danés (Samsø o Danbo) - 1 cucharadita de sal - pimienta - orégano.
Por persona: 1 151 julios/275 calorías.

● Tiempo de preparación: 40 minutos.

Se prepara así: Pelar las patatas y cortarlas en dados pequeños. Picar las cebollas muy finas. Derretir la mantequilla en una cacerola y rehogar allí las patatas y las cebollas sin que lleguen a tostarse. Añadir 1 1/2 l de agua, los cubitos desmenuzados y dejar hervir 25 minutos. Pasar por un tamiz o batir con batidor eléctrico hasta que se forme una crema. Adicionar la nata y el queso rallado y, sin dejar de remover, calentar hasta que el queso se haya desleído. Sazonar con sal, pimienta y orégano.

Se sirve con costrones de pan tostado con un toque de ajo.

Sopa a las finas hierbas Alkmaar

40 g de mantequilla o margarina - 40 g de harina - 1 l de caldo caliente de gallina - 150 g de queso rallado Pikantje (Gouda holandés semi-curado) - sal - pimienta - 2 cucharadas de berros - 2 cucharadas de perejil picado 2 cucharadas de cebollino picado - 1 cucharada de perifollo picado - 1 cucharada de estragón picado - 1 cucharada de eneldo picado.
Por persona: 1 172 julios/280 calorías.

● Tiempo de preparación: 15 minutos.

Se prepara así: Derretir la mantequilla o la margarina, añadir la harina y, sin dejar de remover, verter el caldo, seguir removiendo hasta que esté fina y dejar hervir unos minutos a baja temperatura. Añadir el Pikantje, salpimentar y mezclar con las hierbas. Repartir en platos soperos y, según el gusto, espolvorear con queso y hierbas.

Mejillones a la holandesa

2 cebollas - 10 granos de pimienta - 2 hojas de laurel - 1 zanahoria - 150 g de bulbo de apio agua - sal - 3 kg de mejillones frescos - 6 cl de coñac - 150 g de queso Gouda holandés en lonchas - 1 cucharada de pimentón - tomate Ketchup picante.
Por persona: 2 090 julios/500 calorías.

● Tiempo de preparación: 45 minutos.

Se prepara así: Poner en una cacerola con agua abundante la cebolla cortada en trozos gruesos, los granos de pimienta, las hojas de laurel, la zanahoria y el apio. Salar y dejar cocer 5 minutos. Añadir los mejillones y dejar que cuezan otros 8 minutos con la cacerola tapada. Escurrirlos y sacarlos de las conchas. Luego colocar cada mejillón en una mitad de las conchas, escogiendo la más presentable. Coger un molde refractario, espolvorearlo de sal y colocar allí los mejillones bien juntos. Poner sobre cada mejillón unas gotas de coñac y cubrirlo con una tira de queso. Espolvorear con pimentón y meter al horno (200°C). Cuando el queso comience a fundirse, sacarlos del horno y adornarlos con un toque de Ketchup. Servir calientes como primer plato.

Se acompañan de pan tostado y vino blanco.

Budín de pescado "Skagen"

400 g de abadejo o merluza - 100 g de camarones pelados - 150 g de mejillones - 100 g de yemas de espárragos - 30 g de harina - 1/5 l de nata - 1/8 l agua de espárragos (si se han utilizado frescos) - 60 g de mantequilla salada sal - 1 cucharada de perejil picado - 75 g de queso holandés rallado (Samsø o Danbo) 2 cucharadas de pan rallado.
Por persona: 1 760 julios/420 calorías.

● Tiempo de preparación: 35 minutos.

Se prepara así: Desmenuzar el pescado y mezclarlo con los camarones y los mejillones. Colocar todo en una budinera y poner los espárragos por encima. Remover la harina con la nata y el agua de cocer los espárragos y calentarlo. Añadir 30 g de mantequilla y llevarlo a ebullición. Retirar. Salar, espolvorear de perejil picado y verter la salsa sobre el pescado. Mezclar el queso rallado con el pan rallado, espolvorear el conjunto y poner unos copos de mantequilla. Meter al horno precalentado a 200°C y dejar 25 minutos.

Se sirve con cerveza danesa.

Bistec de lomo en papel de aluminio

4 bistecs de 150 g - sal - pimienta negra
2 cucharadas de pimienta verde machacada
2 cebollas - 300 g de champiñones frescos - 20 g
de mantequilla o margarina - 200 g de queso
Gouda en 4 lonchas - 1 cucharada de aceite
papel de aluminio.
Por persona: 2 009 julios/480 calorías.

● Tiempo de preparación: 30 minutos.

Se prepara así: Salar los bistecs,
espolvorearlos con pimienta recién molida
e introducir la pimienta verde presionando
en la carne. Picar las cebollas. Limpiar los
champiñones y cortarlos en rodajitas.
Glasear la cebolla en la mantequilla o
margarina. Añadir los champiñones,
rehogarlos un momento y extenderlos
sobre la carne. Cubrir con el queso. Cortar
el papel de aluminio en 4 trozos, engrasarlo
con aceite, poner en cada uno un bistec y
doblar, dejando el queso en la parte
superior. Hacer 15 minutos al horno,
precalentado a 250°C.

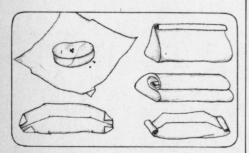

Doblar el papel de aluminio haciendo un paquetito y
teniendo cuidado que no se salga el jugo.

Bistec Carolina

750 g de carne de novillo picada - 1 huevo
2 cucharadas de pan rallado - 1/2 cucharadita
de sal - pimienta - sal de apio - 1/2 diente de
ajo picado fino - 1 cucharada de perejil picado
60 g de mantequilla o margarina - 6 tomates
250 g de queso danés (Danbo) o queso de nata,
cortado en 12 lonchas.
Por persona: 2 760 julios/660 calorías.

● Tiempo de preparación: 30 minutos.

Se prepara así: Formar una masa con la
carne, el huevo, el pan rallado, las especias
y el perejil. Formar 12 filetes y freírlos por
ambos lados. Escaldar los tomates, pelarlos
y partirlos a la mitad. Con una cucharilla
vaciar su interior y quitar las semillas.
Poner 1/2 tomate sobre cada filete de carne
picada con el corte hacia abajo. Cubrir con
una loncha de queso y sujetar con palillo.
Gratinar 10 minutos en el grill del horno.

Se sirve con patatas fritas y ensalada o
lechuga.

Brochetas de queso

125 g de carne de cerdo picada - 125 g de
solomillo de ternera - 125 g de hígado de cerdo
100 g de bacon - 125 g de queso holandés
(Edam o Tilsit) - 1 ó 2 pimientos - 2 cebollas
2 cucharadas de aceite - romero - salvia - sal
pimienta.
Por persona: 2 050 julios/490 calorías.

● Tiempo de preparación: 30 minutos.

Se prepara así: Cortar la carne en trozos del tamaño apropiado para poner los pinchos. El bacon y el queso en lonchas, que sean del tamaño de los trozos de carne. Preparar asimismo la cebolla y los pimientos. Colocar todo en una brocheta intercalando carne, pimiento, queso, cebolla y bacon. Repartir bien las diferentes clases de carne. Pintar todo con aceite, espolvorear de romero, salvia, sal y pimienta y hacer al grill o en una sartén muy caliente.

Se sirven con arroz con mantequilla y guisantes, además de Ketchup de tomate o de pimiento.

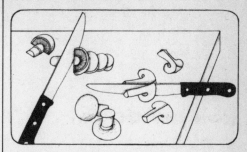

Así se cortan en rodajas los champiñones ya limpios.

Rollitos de setas

400 g de champiñones frescos - 2 cebollas medianas - 60 g de mantequilla o margarina 4 cucharadas de perejil picado - sal - pimienta 8 lonchas grandes de jamón cocido - 200 g de queso en lonchas.
Por persona: 2 030 julios/485 calorías.

● Tiempo de preparación: 1 hora.

Se prepara así: Limpiar las setas, lavarlas y cortarlas en rodajitas. Picar muy finas las cebollas y glasearlas en grasa. Añadir las setas, espolvorear de 3 cucharadas de perejil, salpimentar y dejar que se rehoguen 10 minutos. Extender las rodajas de jamón y repartir por encima los champiñones; enrollar el jamón. Engrasar una fuente refractaria y colocar allí los rollos de jamón, cubrir con las lonchas de queso y meter al horno, precalentado a 200°C unos 20 minutos.

Se sirven con pan de pueblo y cerveza.

Rollitos de queso

1,2 kg de carne de novillo cortado en 8 filetes finos - sal - pimienta - 200 g de jamón serrano en lonchas - 200 g de queso Tilsit cortado en 8 lonchas o la misma cantidad de queso ya empaquetado en lonchas - 4 cucharadas de aceite 1/4 l de vino tinto - 4 cebollas y 4 tomates 150 g de champiñones frescos - 2 cucharadas de finas hierbas.
Por persona: 3 868 julios/925 calorías.

● Tiempo de preparación: 2 horas.

Se prepara así: Colocar los filetes sobre una tabla y salpimentarlos. Poner en cada uno una loncha de jamón serrano y una de queso, enrollarlos y atarlos con bramante de cocina. Calentar bien el aceite en una cazuela de rustir, y freír los rollos bien dorados. Pelar las cebollas y partirlas a la mitad. Escaldar los tomates, pelarlos y quitarles los rabillos. Añadir a los rollos el vino tinto, las cebollas y los tomates y dejar que cuezan unos 80 minutos. Limpiar los champiñones, cortarlos en rodajas y esparcirlos sobre los rollos de carne, sazonar y dejar que cuezan otros 10-15 minutos a fuego lento.

Se sirven con tallarines, spaghetti o patatas al vapor, según el gusto.

Rollitos de col y queso

1 col blanca - sal - 1 cebolla grande - 500 g de carne picada sin grasa - 2 huevos
4 cucharadas de pan rallado - sal - pimienta pimentón dulce - orégano - 4 rodajas de piña
8 lonchas de Gouda tierno - 80 g de mantequilla o margarina - 6 cucharadas de vino de Madeira.
Para la salsa: 3/8 l de zumo de piña - 1 l de Madeira - 1 cucharada de maizena
2 cucharadas de piña picada fina - zumo de 1 limón.
Por persona: 3 470 julios/829 calorías.

- Tiempo de preparación: 80 minutos.

Se prepara así: Quitarle el tronco a la col y retirar las hojas que estén mal. Blanquear en agua de sal 8 hojas de col (a ser posible del mismo tamaño), sacarlas del agua y dejar que escurran. Picar fina la cebolla. Mezclar la carne picada con los huevos, el pan rallado, la cebolla, las especias y la piña picada. Extender las hojas de col y secarlas con cuidado. Poner sobre cada una 1 loncha de queso. Extender ahora la carne picada, hacer unos rollitos y atarlos con bramante. Engrasar con mantequilla abundante una fuente de horno, colocar allí los rollos, añadir el Madeira y meter al horno. Dejar 40 minutos a 220°C.
Para la salsa: Poner a hervir en una cacerola el zumo de piña con Madeira y espesar con la maizena disuelta en agua fría. Añadir la piña picada y aderezar con zumo de limón.

Se sirven con patatas al vapor y cerveza.

Apio al horno

1 bulbo grande de apio - sal - pimienta - zumo de limón - 30 g de mantequilla - 125 g de jamón cocido en 4 lonchas - 2 cucharadas de perejil picado - 4 lonchas de Pikantje (Gouda semicurado) - 4 rebanadas de pan blanco de molde.
Por persona: 1 728 julios/413 calorías.

- Tiempo de preparación: 1 1/2 horas.

Se prepara así: Cocer el apio, pelarlo y cortarlo en 4 rodajas gruesas. Salpimentarlo y rociarlo abundantemente con zumo de limón.
Engrasar con mantequilla una fuente refractaria y colocar allí las lonchas de apio y las de jamón, salpicar todo con perejil picado y cubrirlo con lonchas de queso. Meter al horno, precalentado a 200°C, y gratinar 10 minutos hasta que el queso esté fundido y de color dorado. Tostar el pan y servir el apio encima.

> **Sugerencia:** Para tomar entre horas o como sorpresa de media noche en una fiesta particular. Se acompaña de un vino tinto fuerte.

Quiche lorraine es muy apreciado en Francia, lo mismo de entrada que de segundo plato. Receta pág. 26.

▷

Puerros gratinados con jamón

Ingredientes para 4 personas:
800 g de puerros limpios (listos para cocinar)
sal - agua - 500 g de jamón cocido - mostaza
80 g de mantequilla o margarina - 40 g de
harina - 3/8 l de leche - 100 g de queso rallado
de los Pirineos (Catalou) - 2 cucharadas de pan
rallado - 2 cucharaditas de pimentón dulce
1 cucharada de perejil picado.
Por persona: 3 390 julios/810 calorías.

● Tiempo de preparación: 40 minutos.

Se prepara así: Cortar los puerros del mismo largo y cocerlos 10 minutos en agua de sal. Escurrirlos bien. Extender las lonchas de jamón y untarlas de mostaza. Envolver un puerro en cada loncha de jamón y colocarlos en una fuente refractaria bien engrasada. Los recortes restantes del jamón y los puerros se reparten por los lados. Derretir la mantequilla o margarina en una cacerola, añadir la harina y luego la leche. Remover bien hasta que la salsa esté fina. Añadir la mitad del queso y dejar que se funda. Con esta salsa regar los rollos de jamón. Mezclar el queso rallado restante con el pan rallado, y el pimentón, espolvorear la salsa y poner por encima copos de mantequilla o margarina. Meter al horno (precalentado a 200°C) y gratinar 15 minutos. Servir espolvoreado de perejil picado.

Se sirve con patatas al vapor o fritas, o también con pasta.

◁ Las tartaletas de queso se sirven calientes y resultan exquisitas. Receta página 22.

Chocrut gratinado

3 cucharadas de aceite - 1 lata de chocrut
2 manzanas - 100 g de piña en trozos
2 cucharaditas de caldo - 1 cucharada de azúcar
50 g de mantequilla o margarina - 200 g de
bacon - 1 kg de puré de patata (producto
preparado) - 60 g de queso rallado de los
Pirineos, con comino - 2 cucharadas de perejil
picado.
Por persona: 3 220 julios/770 calorías.

● Tiempo de preparación: 60 minutos.

Se prepara así: Calentar el aceite en una cazuela grande y añadir el chocrut separándolo bien. Rallar las manzanas y mezclarlas al conjunto con la piña en trozos. Aderezar con caldo y azúcar, eventualmente con algo de zumo de piña. Engrasar con mantequilla un molde de soufflé y esparcir por el fondo el bacon cortado en dados. Rellenar con una capa de chocrut y otra de puré de patata (entre capa y capa unos dados de bacon). La capa final debe ser de patata, cubierta de dados de bacon y espolvoreada de queso rallado. La mantequilla restante ponerla por encima en forma de copos. Meter al horno (precalentado a 200°C) y gratinar 25 minutos. Servir salpicado de perejil.

Sugerencia: Puede ser un buen acompañamiento para carne de cerdo, pato o ganso, y, según el gusto, puede sustituir al bacon y ponerse cortada en dados y mezclada con el gratinado.

Pimientos rellenos de queso

8 a 12 pimientos grandes de pico - 500 g de queso holandés sin curar (Gouda o Edam)
4 huevos - sal - 2 cucharadas de harina
2 cucharadas de nata - grasa para freir.
Por persona: 3 390 julios/810 calorías.

● Tiempo de preparación: 40 minutos.

Se prepara así: Lavar los pimientos, secarlos y meterlos al horno a 250°C sobre una rejilla. Tan pronto se hayan tostado (unos 8-10 minutos), sacarlos y ponerlos sobre un paño húmedo. Taparlo con otro paño húmedo. Frotarlos con el paño de un lado a otro para que la piel se quite con la mayor facilidad. Cuando estén templados, quitarles la piel del todo, partirlos a la mitad y quitarles las semillas. Cortar el queso en dados (del grueso del pulgar). Envolver cada dado en una tira de pimiento y sujetar con un palillo. Para la pasta de fritura separar las yemas de las claras. Batir las yemas y mezclarlas con las claras a punto de nieve, sal, harina y nata.

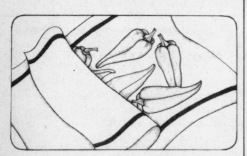

Frotar con el paño húmedo los pimientos asados; de este modo se pelan con mayor facilidad.

Calentar la grasa hasta que esté hirviendo. Envolver los dados en la pasta de fritura y freírlos. Cuando el queso empiece a fundirse, sacarlos. Se sirve como aperitivo caliente.

Combina con pan blanco y cerveza.

Patatas con queso en papel de aluminio

Este plato ofrece una alternativa a la famosa Raclette suiza. Para ello no se necesita ningún utensilio especial y puede hacerse al horno o al grill.

12 patatas medianas y, a ser posible, de la misma forma - 900 g de queso en lonchas (Tilsit o similar) - 12 hojas de papel de aluminio, cortadas en cuadrados, de unos 20 a 25 cm de largo - sal - pimienta - pepinillos - cebollitas encurtidos.
Por persona: 4 565 julios/1090 calorías.

● Tiempo de preparación: 1 hora.

Se prepara así: Cocer las patatas con piel y pelarlas. Colocar el papel de aluminio sobre la superficie de trabajo, poniendo la parte brillante hacia arriba. Envolver cada patata en una loncha de queso y formar un paquetito con el papel. Colocar los paquetes con la abertura hacia arriba y hacer al horno (a 200°C-250°C) de 15 a 20 minutos. Por persona 3 patatas, servidas con el resto de los ingredientes.

Se sirve con té negro muy caliente.

Sugerencia: Para que este plato resulte más atractivo y apetitoso, después de abrir los paquetitos se riegan con Kirsch caliente, se encienden y se sirven flameados.

Patatas al gratén

1,2 kg de patatas - 2 cebollas grandes - 50 g de mantequilla o margarina - 150 g de Gouda 350 g de puerros limpios - 50 g de bacon ahumado - 3/4 l de caldo de carne concentrado.
Por persona: 2 511 julios/600 calorías.

● Tiempo de preparación: 1 hora.

Se prepara así: Pelar las patatas, lavarlas y cortarlas en rodajas. Pelar las cebollas, cortarlas en aros y glasearlas en 30 g de mantequilla o margarina hasta que empiecen a dorarse ligeramente. Partir el queso en daditos y mezclar con las patatas y la cebolla. Cortar los puerros en trozos de 3 cm y junto con el bacon añadirlo a las patatas. Salpimentar al gusto. Llenar con ello una fuente refractaria engrasada y regarlo con el caldo, hasta que se haya evaporado el caldo y las patatas estén blandas. Dejar que se dore la superficie. Se sirve como guarnición de rosbif o ternera asada fría.

Sugerencia: Puede añadirse al gratinado ya hecho una mezcla de 1/8 l de nata agria, 2 huevos y 50 g de Gouda rallado. Se vierte por encima y se mete al horno hasta dorarlo.

Tostadas de queso a la italiana

40 g de mantequilla - 4 rebanadas de pan blanco de molde - 4 a 8 lonchas de tomate 120 g de queso Bel Paese en lonchas - 12 filetes de anchoa - 8 aceitunas rellenas 1/2 cucharadita de orégano picado.
Por persona: 1 800 julios/430 calorías.

● Tiempo de preparación: 15 minutos.

Se prepara así: Derretir la mantequilla en una sartén y freír las tostadas por ambos lados. Colocar el tomate encima y finalmente el queso. Tapar la sartén y dejar que se haga hasta que el queso empiece a fundirse. Poner en cada tostada 3 filetes de anchoa y rodajitas de aceituna. Espolvorear con orégano, volver a tapar y dejar algunos minutos más. Se sirve con cerveza, vino blanco o tinto.

Tortilla campesina a la francesa

6 huevos - 125 g de queso de los Pirineos, con comino - 30 g de mantequilla - 100 g de jamón de las Ardenas o bacon - 4 a 8 patatas cocidas sal - pimienta.
Por persona: 1 926 julios/460 calorías.

● Tiempo de preparación: 20 minutos.

Se prepara así: Batir los huevos y añadir la mitad del queso aproximadamente. Freír el bacon (cortado en trozos) en la mantequilla caliente. Añadir las patatas cocidas cortadas en rodajas, darles una vuelta y añadir los huevos batidos. Salpimentar abundantemente y tener cuidado que no se queme por debajo. Cuando se hayan cuajado los huevos, dar la vuelta a la tortilla y espolvorearla con queso rallado. Tapar la sartén y, a baja temperatura, dejar que el queso se funda.

Se sirve con ensalada mixta.

Bolitas de queso fritas

3 claras de huevo - 180 g de Tilsit rallado grasa para freír.
Por persona: 1 630 julios/390 calorías.

● Tiempo de preparación: 20 minutos.

Se prepara así: Batir las claras a punto de nieve. Añadir el queso. Calentar la grasa a punto de ebullición. Con una cuchara coger masa de las claras y formar unas bolas, freírlas y moverlas con la espumadera hasta que estén doradas. Colocarlas sobre papel de cocina para que escurran y servirlas, muy calientes, metidas en un pincho.

Se sirven con cerveza o vino.

Ensalada holandesa

150 g de Gouda tierno, o Pikantje - 3 filetes de arenque marinados - 100 g de pepinillos en vinagre - 50 g de cebollas rojas - 4 huevos duros.
Para la salsa: 125 g de mayonesa
3 cucharadas de nata - 1 pizca de azúcar
2 cucharadas de cebollino picado.
Por persona: 2 846 julios/680 calorías.

● Tiempo de preparación: 20 minutos.

Se prepara así: Cortar en dados el queso, los arenques y los pepinillos. Picar fina la cebolla, pelar los huevos y partirlos en 8 trozos. Poner todo en una fuente. Remover la mayonesa con la nata, el azúcar y el cebollino, verterlo sobre los ingredientes y mezclarlo bien.

Se sirve con patatas al vapor y cerveza.

Ensaladilla de ave a la holandesa

Para la salsa: 3 cucharadas de queso fresco magro o requesón - 2 cucharadas de tomate Ketchup - 2 cucharadas de zumo de piña - zumo de 1 limón - sal - una pizca de Curry - una chispa de Tabasco.
Para ensalada: 200 g de queso holandés (Pikantje o Gouda semi-curado) - 125 g de uvas sin semillas - 250 g de pechuga de pollo deshuesada - 100 g de piña en trozos - 100 g de bulbo de apio, cocido - 100 g de manzanas un poco agrias.
Por persona: 1 760 julios/420 calorías.

● Tiempo de preparación: 25 minutos.

Se prepara así: Mezclar todos los ingredientes de la salsa y sazonarlos al gusto. Cortar en tiras el queso, las uvas, la pechuga, la piña, el apio y las manzanas. Mezclar bien todo con la salsa y remover bien. Dejar reposar 30 minutos antes de servirlo.

Se sirve con tostadas de pan blanco y un vino blanco suave.

El queso fresco y el queso blando: caliente y frío

Salsa de queso fresco

4 cucharadas de aceite de oliva - 4 cucharadas de vinagre de hierbas - sal - pimienta - azúcar condimento en polvo - 2 paquetitos de queso fresco - 1 cucharada de hierbas aromáticas frescas o congeladas - 1/2 cucharadita de orégano.
Por persona: 523 julios/125 calorías.

• Tiempo de preparación: 10 minutos.

Se prepara así: Mezclar bien el aceite y el vinagre, aderezar con sal, pimienta y un toque de azúcar. Remover todo bien. Añadir condimento en polvo y, poco a poco, ir añadiendo el queso, trabajándolo bien hasta formar una salsa cremosa. Lavar las hierbas aromáticas y picarlas muy finas; si son congeladas dejar descongelar. Añadirlas a la salsa junto con el orégano. Sazonar al gusto.

Combina bien con brócoli, salsifís o tomates.

Tortilla de queso

Ingredientes para 2 personas:
4 huevos - 2 cucharadas de agua o leche una pizca de sal - 60 g de Camembert - 30 g de mantequilla o margarina - 4 rebanadas de pan blanco de molde.
Por persona: 1 070 julios/250 calorías.

• Tiempo de preparación: 15 minutos.

Se prepara así: Batir bien los huevos con el agua o la leche y la sal. Añadir el queso en lonchitas pequeñas, calentar la grasa, verter el batido y tan pronto cuaje, darle la vuelta o dorarla en el horno con el grill, poniendo el calor por la parte superior. Tostar el pan y ponerlo en 2 platos. Partir la tortilla a la mitad y repartirla sobre las tostadas.

Se sirve con leche, zumo de manzana o vino.

Pizza con tomates y Mozzarella

Ingredientes para 4-8 personas:
1 paquetito de levadura - 1/4 l de leche - 500 g de harina de trigo - 2 huevos - 1 cucharadita de sal - 300 g de tomates - 1 queso Mozzarella 2 cucharadas de hojitas de albahaca - sal parmesano rallado - aceite de oliva.
Por persona: 3 265 ó 1 632 julios/780 calorías ó 390 respectivamente.

• Tiempo de preparación: 50 minutos.

Se prepara así: Desleír la levadura con 5 cucharadas de leche templada y dejar reposar 15 minutos. Poner la harina en una fuente honda, añadir la levadura desleída, la leche templada restante y los huevos. Batir todo enérgicamente y salar. Partir la masa a la mitad y forrar con ella dos moldes planos redondos o, en su lugar, forrar una bandeja del horno. Dejar los bordes un poco subidos. Escaldar los tomates, pelarlos y retirar los rabillos. Cortarlos en rodajas. Cubrir la masa con los tomates, encima el Mozzarella y las hojas de albahaca. Salar ligeramente y espolvorear con queso rallado. Rociar con aceite y meter al horno (precalentado a buena temperatura) y dejar que se haga 25-30 minutos.

Ensalada campesina al estilo griego

*500 g de tomates - 2 pimientos verdes
2 cebollas moradas - 1 cucharada de zumo de
limón - 2 cucharadas de aceite de oliva - 500 g
de queso de oveja búlgaro - 15 aceitunas negras
pimienta - sal.*
Por persona: 2 595 julios/620 calorías.

• Tiempo de preparación: 20 minutos.

Se prepara así: Escaldar los tomates,
pelarlos quitando los rabillos y cortarlos en
8 trozos. Cortar los pimientos en tiras finas.
Cortar las cebollas en rodajas gruesas,
separar los aros y mezclar con los tomates
y pimientos. Aliñar con aceite y zumo de
limón. Cortar el queso en dados y
deshuesar las aceitunas, partirlas a la mitad
y mezclar con la ensalada y el queso.
Salpimentar al gusto.

Se sirve con vino tinto y se acompaña de
pan blanco crujiente o pan de pueblo.

Ocopa Prequipeña

Este plato es típico de los indios
sudamericanos.

*500g de pimientos verdes - 2 manojitos de
perejil - 2 cebollas - 250 g de nueces (peladas)
125 g de queso fresco - 8 rebanadas de pan soda
50 g de carne de camarones o cangrejos de río
2 cucharadas de aceite - orégano - sal
pimienta.*
Por persona: 1 850 julios/442 calorías.

• Tiempo de preparación: 30 minutos.

Se prepara así: Lavar los pimientos, asarlos
al horno y pelarlos. Lavar el perejil y
secarlo. Sin los rabillos rehogarlo en una
sartén sin grasa, moviendo continuamente
la sartén hasta que se reseque y pueda
deshacerse fácilmente. Picar las cebollas.
Moler las nueces y mezclarlas con el queso,
el pan soda partido en trozos y la carne de
camarones. Trabajar todo bien con un
batidor eléctrico. Ir añadiendo el aceite
poco a poco, las cebollas picadas, los
pimientos y el perejil. Batir hasta conseguir
un puré fino. Sazonar con orégano, sal y
pimienta.

Se sirve con patatas al vapor, mazorcas de
maíz frescas, aceitunas y huevos duros.

Obatzter

1 Camembert entero - 1 cucharada de
mantequilla - 2 cebollas pequeñas
2 cucharaditas de comino - 1/2 cucharadita de
pimienta - 2 cucharaditas de pimentón
1 cucharada de tomate Ketchup.
Por persona: 401 julios/96 calorías.

● Tiempo de preparación: 15 minutos.

Se prepara así: Cortar el queso en trocitos
pequeños y amasar con la mantequilla, bien
sea con un tenedor o con batidor eléctrico.
Pelar y picar las cebollas. Machacar el
comino en el mortero y mezclarlo a la
masa. Según el gusto añadir pimienta, y
finalmente pimentón y tomate Ketchup.
Trabajar bien la masa hasta que adquiera
un tono rosado.

Se sirve con cerveza.

Pastelillos de queso a la búlgara

500 g de queso búlgaro de oveja o similar
1 yogur - 3 huevos - 600 g de masa de hojaldre
congelada (descongelar antes de usar).
Por persona: 3 300 julios/790 calorías.

● Tiempo de preparación: 40 minutos.

Se prepara así: Batir el queso en una fuente
honda añadiendo el yogur y 2 huevos.
Estirar bien fina la masa con el rodillo y
cortar de 12 a 15 rectángulos. Poner en el
centro una cucharada de la masa de queso
(puede hacerse también con manga

pastelera) y doblar los bordes hacia arriba
cerrando el pastel. Presionar ligeramente y
picarlo con un tenedor. Batir el tercer
huevo y pintar con él los pastelillos. Meter
al horno, precalentado a 200°C, durante 20
minutos hasta que se dore la superficie.

Se sirve con sidra o vino blanco.

Souflé fino de queso

40 g de mantequilla o margarina - 75 g de
azúcar - 1 pizca de sal - 1 yema de huevo
cáscara de 1 limón - 200 g de queso fresco
20 g de maizena - 30 g de sémola de trigo - una
pizca de levadura en polvo - 1 clara de huevo
grasa para los moldes - pan rallado.
Por persona: 1 780 julios/425 calorías.

● Tiempo de preparación: 1 hora.

Se prepara así: Batir la grasa con el azúcar
y la sal a punto de espuma. Ir añadiendo la
yema de huevo, la ralladura de limón y el
queso fresco. Finalmente añadir la maizena,
la sémola, la levadura en polvo y la clara
batida a punto de nieve. Engrasar 4 moldes
individuales, refractarios, espolvorearlos
con pan rallado y rellenarlos con la masa.
Meter al horno, precalentado a 175-200°C,
y dejar de 40 a 45 minutos.

Se sirve con compota de ciruelas.

Canelones rellenos de queso

400 g de queso Ricotta - 50 g de Gorgonzola tierno - 50 g de jamón serrano - 50 g de jamón cocido - 2 huevos - sal - pimienta - 400 g de canelones - 75 g de mantequilla - 1 lata de tomates pelados - 1 ramillete de albahaca fresca ó 1 cucharada de albahaca seca - 60 g de Parmesano rallado.
Por persona: 4 200 julios/1 000 calorías.

• Tiempo de preparación: unos 40 minutos.

Se prepara así: Para el relleno trabajar bien, con batidor eléctrico, el Ricotta y el Gorgonzola y mezclarlo con el jamón cortado en tiras. Batir los huevos bien espumosos y añadirlos a la masa. Salpimentar al gusto. Cocer los canelones en 4 l de agua de sal durante 5-6 minutos. Quitarles el agua, pasarlos por agua fría y escurrirlos. Luego colocarlos sobre un paño para que acaben de secarse. Rellenarlos y enrollarlos. Colocarlos en una fuente refractaria. Calentar la mantequilla. Escurrir los tomates, ponerlos en una fuente honda y añadir la mantequilla derretida. Mezclar con la albahaca y regar con ello los canelones y espolvorear con el queso rallado. Meter al horno, precalentado a 175°C, y dejar durante 15 minutos, hasta que el queso rallado empiece a dorarse.

Cassata siciliana

Ingredientes para 8 personas:
125 g de cerezas confitadas - 125 g de naranja confitada - 125 g de cidra confitada - 750 g de Mascarpone - 400 g de azúcar glas - 2 vasitos de Maraschino (4 cl) - 50 g de virutas de chocolate - un fondo de bizcocho ya hecho.
Por persona: 3 350 julios/800 calorías.

• Tiempo de preparación: 45 minutos.

Se prepara así: Para el relleno picar primeramente las frutas confitadas. Poner el Mascarpone en una fuente honda y trabajarlo bien con un batidor eléctrico. Ir añadiendo poco a poco el azúcar y el Maraschino, y también las frutas confitadas. Cortar el fondo de bizcocho en dos partes. Forrar un molde plano con papel de aluminio, poniendo la parte brillante hacia dentro, y procurando que los bordes del papel caigan hacia afuera. Engrasar el papel con un poco de aceite. Colocar la parte de abajo del bizcocho y cubrirlo con 3/4 partes de la masa de Mascarpone. Tapar con la otra mitad presionando un poco. Decorar con frutas confitadas y dejar en el frigorífico varias horas. Finalmente sacarlo con cuidado del molde, colocarlo en una fuente y cortarlo.

Quesos con moho: sabrosos y picantes

Salsa de queso a la francesa

2 cucharadas de salsa blanca instantánea (producto elaborado) - 1/4 l de caldo de carne 100 g de queso a las finas hierbas (Tatar o Boursin) - 1 yema de huevo - 1 cucharada de Jerez dulce u Oporto.
Por persona: 674 julios/161 calorías.

• Tiempo de preparación: 15 minutos.

Se prepara así: Preparar la salsa instantánea con 1/4 l de caldo caliente, dejar enfriar ligeramente y mezclar con el queso formando una masa homogénea. Añadir la yema y el vino y, sin dejar de remover, calentar hasta unos 75°C.

Combina con: Berenjenas rebozadas o calabacines, hinojo hervido brevemente, apio.

Souflé de queso picante

60 g de mantequilla - 30 g de harina - 1/4 l de leche - sal - pimienta - nuez moscada - 100 g de Bresse bleu - 3 huevos.
Por persona: 1 477 julios/353 calorías.

• Tiempo de preparación: 50 minutos.

Se prepara así: Derretir 30 g de mantequilla, añadir la harina y, sin dejar de remover, ir añadiendo la leche. Dejar hervir sin dejar de remover. Sazonar con sal, pimienta y nuez moscada. Retirar del fuego y mezclar con el Bresse bleu, removiendo todo bien. Añadir las yemas. Batir las claras a punto de nieve añadiendo una pizca de sal. Mezclar a la salsa de queso. Con el resto de la mantequilla engrasar un molde de souflé. Meter al horno, precalentar a 200°C, unos 30-35 minutos. Servir rápidamente.

Se sirve con un Oporto seco.

Espinacas gratinadas

125 g de spaghetti - sal - 30 g de mantequilla o margarina - 500 g de espinacas - 150 g de queso azul (Edelpilz o similar) - 1 taza de miga de pan blanco - Condimento en polvo.
Por persona: 1 677 julios/400 calorías.

• Tiempo de preparación: 30 minutos.

Se prepara así: Cocer los spaghettis en agua de sal. Escurrirlos y colocarlos en una fuente refractaria bien engrasada. Lavar bien las espinacas y blanquearlas 2 minutos en agua de sal. Escurrirlas bien y extenderlas sobre los spaghettis. Con un tenedor desmigajar el queso y mezclarlo con la miga de pan. Extenderlo sobre las

Sugerencia: Puede comerse entre horas, o si se pone como primer plato habría que doblar la cantidad.

espinacas. Meter al horno, precalentado a 200°C, y gratinar 10 minutos. Espolvorear con condimento en polvo.

Tostadas de champiñones y queso

Ingredientes para 2 personas:
Unos 20 champiñones frescos - 150 g de
Roquefort - 70 g de mantequilla - 4 rebanadas
de pan de mantequilla (de forma cuadrada)
1 cucharada de perejil picado.
Por persona: 1559 julios/373 calorías.

● Tiempo de preparación: 20-30 minutos.

Se prepara así: Limpiar las cabezas a los champiñones y quitarles el pedúnculo. Batir el queso con 20 g de mantequilla y rellenar con ello las cabezas de champiñón. El resto de la mantequilla se derrite en una sartén y se fríe el pan por ambos lados hasta que esté dorado. Sacar de la sartén y repartir los champiñones sobre las tostadas. Espolvorear con perejil y meter al horno, precalentado a 200°C, o hacer bajo el grill hasta que el queso empiece a fundirse.

Se sirve con vino blanco seco.

Tallos de apio rellenos de Roquefort

1 tallo grande de apio - 100 g de Roquefort
100 g de mantequilla - 2 cucharaditas de coñac
2 chispas de Tabasco.
Por persona: 1314 julios/314 calorías.

● Tiempo de preparación: 15 minutos.

Se prepara así: Cortar al apio el tronco de la raíz, lavarlo y retirar las partes malas. Cortarlo en trozos de 5 cm. Mezclar el Roquefort con la mantequilla y el resto de los ingredientes hasta formar una masa cremosa. Rellenar los huecos interiores del apio.

> **Sugerencia:** Se sirve como aperitivo en las reuniones, acompañado de vino.

Calabacines gratinados

1 kg de calabacines - 60 g de mantequilla o
margarina - sal - pimienta - 200 g de
Gorgonzola - 2 huevos - 1/4 l de nata
1 cucharadita de orégano - 1 cucharada de
perejil picado.
Por persona: 1967 julios/470 calorías.

● Tiempo de preparación: 40 minutos.

Se prepara así: Lavar los calabacines, retirarles la parte dura y cortarlos en rodajas de 1 cm aproximadamente. Freír las rodajas en la mantequilla o margarina por ambos lados, hasta dorarlas. Salpimentar. Remover el queso con los huevos y la nata, hasta formar una masa fina, añadir el orégano y el perejil y, según el gusto, pimienta. Colocar las rodajas en una fuente refractaria engrasada con mantequilla, verter por encima la masa de queso y meter al horno, precalentado a 175°C, hasta que la masa se cuaje y la superficie esté dorada.

Se sirve con carne asada, arroz o patatas fritas.

Sugerencia: Sin guarnición se sirve como primer plato.

Huevos al Gorgonzola

*4 huevos - 60 g de Gorgonzola o queso azul
60 g de crema fresca o queso fresco
1 cucharada de nata batida - 6 aceitunas
rellenas - 1/2 cucharadita de mostaza
1/2 cucharadita de pasta de anchoas
8 alcaparras picadas - sal - pimienta
pimentón dulce - 2 cucharaditas de coñac.*
Por persona: 1 000 julios/240 calorías.

● Tiempo de preparación: 30 minutos.

Se prepara así: Cocer los huevos duros, pelarlos, partirlos a la mitad y sacar las yemas. Mezclar el Gorgonzola con el resto de los ingredientes y añadir las yemas cocidas removiendo hasta formar una pasta fina. Llenar con la masa una manga pastelera y rellenar las mitades de los huevos. Antes de servirlos enfriarlos un poco.

Sugerencia: Se sirven como entremés y para cenas frías. Si se preparan con mucha antelación recomendamos ponerles un baño de gelatina.

Peras al Roquefort

*8 peras William cocidas - 125 g de Roquefort
60 g de mantequilla - 2 cucharaditas de Armagnac.*
Por persona: 1 344 julios/321 calorías.

● Tiempo de preparación: 15 minutos.

Se prepara así: Poner a escurrir las peras en un colador. Batir bien cremoso el Roquefort con la mantequilla y sazonar

Sugerencia: Si desea un postre caliente, puede meter las peras al horno durante 20-30 minutos con una temperatura de 200°C.

con el Armagnac. Con una cucharilla rellenar con la crema las mitades de las peras y enfriar un momento antes de servir.

Se acompaña de vino Oporto o Jerez amontillado.

Salsa Roquefort

*125 g de Roquefort - 1 cucharada de aceite
1 cucharada de Oporto - 1 cucharada de vinagre
de vino - 9 cucharadas de nata dulce o agria
1 cucharada de cebollino picado.
Por persona: 900 julios/215 calorías.*

• Tiempo de preparación: 15 minutos.

Se prepara así: En una fuente honda y con una cuchara de madera remover enérgicamente el queso y añadir el aceite, el Oporto y el vinagre. Trabajar todo bien. Según el gusto y según sea la ensalada, se añade nata dulce o agria. Adornar con cebollino picado.

Combina con endivias, radicchio y también con pepinos y tomates.

Sugerencia: Utilice también otras clases de queso azul, como Gorgonzola o Bavariablu.

Mantequilla de Roquefort

*Ingredientes para 4-8 personas:
100 g de Roquefort o Bavaria blu - 100 g de
mantequilla - 2 cucharadas de coñac.
Por persona: 1 210 (300) julios/290 (70)
calorías.*

• Tiempo de preparación: 10 minutos.

Se prepara así: Mezclar todos los ingredientes y formar una crema fina. Envolverla en papel de aluminio formando un rollo y ponerla en el congelador. Antes de servirla cortarla en rodajas.

Combina con bistecs, chuletas o patatas al horno.

Sugerencia: La mantequilla condimentada está indicada para platos a la parrilla. La mantequilla de Roquefort es apropiada para platos donde se utiliza también mantequilla de hierbas. Prueba alguna vez mantequilla de Roquefort untada en pan, galletitas Cracker o patatas Chip.

Endivias con salsa de queso

1kg de endivias - sal - 50 g de mantequilla
200 g de Danablue - 100 g de nata agria
2 cucharadas de pan rallado
Por persona: 1 590 julios/380 calorías.

● Tiempo de preparación: 40 minutos.

Se prepara así: Limpiar las endivias y
lavarlas. Blanquearlas en abundante agua
de sal (hervir ligeramente) y dejar escurrir.
Engrasar un molde refractario y colocar allí
las endivias (las grandes partidas a la
mitad). Desmigajar el queso en la nata,
batirlo y regar con ello las endivias.
Espolvorear con pan rallado y finalmente
poner copos con la mantequilla restante.
Meter al horno, precalentado a 200°C,
hasta que la superficie esté dorada.

Souflé de calabaza

1 kg de calabaza, pelada y sin semillas
4 huevos - 125 g de Bavaria blu - 6 cucharadas
de crema fresca - sal - una pizca de clavo de
especia en polvo - mantequilla para el molde.
Por persona: 1 830 julios/430 calorías.

● Tiempo de preparación: 70 minutos.

Se prepara así: Cortar la calabaza, ya lista
para cocinar, en trozos gruesos y cocerla 30
minutos, cubierta de agua salada. Separar
las yemas de las claras. Hacer un puré con
la calabaza cocida e ir añadiendo las yemas,

el queso y la crema fresca. Sazonar con sal
y clavo de especia. Batir las claras a punto
de nieve e incorporarlas a la masa.
Engrasar abundantemente un molde de
souflé, llenarlo con la masa y meterlo al
horno, precalentado a 200°C, unos 25
minutos. Luego subir la temperatura a
250°C, y tan pronto se dore la superficie,
servir.

Ragú de champiñones con Gorgonzola

Ingredientes para 4 personas:
500 g de champiñones - 50 g de mantequilla
zumo de 1/2 limón - 150 g de Gorgonzola
8 cucharadas de nata agria - crema fresca
pimienta (3 vueltas en el molinillo)
2 cucharadas de perejil picado - sal - 2 huevos.
Por persona: 6 160 julios/1 470 calorías.

● Tiempo de preparación: unos 45 minutos.

Se prepara así: Para el ragú de setas limpiar
y lavar los champiñones y picarlos gruesos.
Rehogarlos en mantequilla unos minutos,
remover, retirar del calor y añadirles limón.
Desmigajar el queso en la nata, batirlo e ir
añadiendo poco a poco pimienta, perejil,
sal y los huevos. Añadirlo a los
champiñones, calentar de nuevo y servir.

Se sirve con arroz blanco.

Platos de queso: grandes y pequeños

Para cenas frías:
Emmental, Appenzell, Gruyère, Cheddar, Edam, Gouda, queso del Pirineo, Steppen, St. Paulin, Port Salut, Limburgo, Brie, Camembert, Pirámide, Bavaria blu, Edelpilz, Roquefort, Gorgonzola, Harz, quesos frescos y requesón, como requesón a las finas hierbas o con comino, Liptau, etc.

Como postre:
Suizo, Edam, Camembert, queso a la pimienta, Roquefort, Gorgonzola o cualquier tipo de queso azul.

Para no engordar:
Harz, de Mainz (hecho a mano), requesón descremado, Edam descremado, Limburgo descremado.

Para cortar en dados:
Suizo acompañado de uvas, nueces o lonchitas de jengibre, pinchado todo en un palito.
Pequeños trozos de Camembert sobre galletas Cracker. Roquefort o Gorgonzola cortado en trozos y puestos sobre trocitos de apio.

¿Y con qué pan? Lo más adecuado sería pan negro, Pumpernickel, pan de París (del día), Cracker, galletas saladas y pan soda. Este último, muy apropiado para aquellas personas que no quieran engordar.

Los platos de queso pueden adornarse con rabanitos, rodajas de pepino, hierbas picadas, nueces, almendras sin tostar o tostadas, peras cortadas en trozos, aceitunas, encurtidos, melón, piña, cerezas de cocktail, panojitas de maíz, cebollitas en dados o anillos (pero no todo mezclado, naturalmente).
Combina muy bien también con higos o dátiles, que no sólo son decorativos, sino

que son exquisitos combinados con queso. Varias clases de queso pueden servirse espolvoreados con hierbas, comino, pimienta o pimentón. Si se come sólo queso por persona se calculan unos 200 ó 300 g. Si es sólo postre, de 100 a 150 g. Los restos de queso se envuelven en papel de aluminio y se conservan en el frigorífico. Como bebida ideal para toda clase de quesos recomendamos la leche. Pero también té y café. El vino blanco suave es también adecuado para quesos no muy fuertes. Y el vino con más cuerpo para quesos fuertes. Para un plato de quesos variados puede servirse vino tinto, así como cerveza bien fría.

Sugerencia: Los platos de queso puede prepararlos con antelación, taparlos con papel transparente especial y conservarlos en el frigorífico. Sacarlos 1 hora antes de servirlos.

Los principales quesos de Europa

Grupos de quesos

Requesón 21,7-22,6 % de grasa

Queso fresco 39% de grasa
Queso fresco de nata 44% de grasa
Queso fresco de doble nata

Queso de nata agria 45% de grasa
Harz, Mainz.

Quesos blandos 20-60 % de grasa
Con moho: Brie, Camembert, Carré de l'Est,
Cabichou, Pirámide, Vacherin
Sin moho: Bjalo, Herve, Limburgo, Livarot,
Münster, Münster-Géromé, Pont l'Evêque,
Reblochon, Sainte-Maure, queso de vino.

Queso semiduro (de corte) 44-55 % de
grasa
Sin moho: Bel Paese, de nata, Itálico,
Kaskaval, Port Salut, Saint Paulin,
Steinbuscher, Taleggio, Tomme de Savoie,
Weisslacker, Wilstermarsch.
Con moho interno: Bavaria blu, Stilton azul,
Blue Castello, Bresse Bleu, Danablue,
Edelpilz, Gorgonzola, Roquefort, White
Castello.

Queso de corte 30-60 % de grasa
Catalou, Danbo, Edam, Elbo, Esrom,
Fontina, Fynbo, Geheimrat, Gouda,
Havarti, Maribo, Leidse Kaas, Pikantje,
queso del Pirineo, Samsø, Tilsit, Tybo.

Queso duro 60% de grasa
De los Alpes, Appenzell (semiduro),
Asiago, queso montañés, Cheddar,
Cheshire, Chester, Comté, Emmental,
Gruyère, Parmesano, Provolone, Sbrinz,
Schabziger (semiduro), queso especial para
Raclette (semiduro).

Observaciones

En la tabla de las páginas siguientes se
incluyen los tipos de queso más
internacionales a efectos de las recetas y
contenido de la presente obra, sin que la
exclusión de otros de cualquier otro país,
como por ejemplo España, deba
interpretarse como una descalificación con
respecto a su calidad. Precisamente los
quesos tales como el de Burgos, el de
Cabrales, el Manchego, el gallego, etc., por
no citar más que algunos de los
muchísimos que se elaboran en la
península, son extraordinariamente
apreciados por quienes visitan y conocen la
gastronomía española en su multiplicidad
de variantes dentro de las distintas
autonomías. Pero el hecho de que esta obra
haya sido escrita, partiendo básicamente de
una cocina internacional, nos ha impedido
adentrarnos en variantes locales, máxime
teniendo en cuenta que la mayor parte de
los quesos a que se hace referencia en las
recetas son también sobradamente
conocidos y usados en España. Los lectores
más familiarizados con la gastronomía
basada en el queso, sabrán en todo caso
sustituir no pocos de los que nosostros
incluimos en la tabla por otros nacionales
más conocidos de similares características,
por supuesto, y de igual calidad. En tal
sentido debe interpretarse la citada tabla.
De lo que no hay duda es que para
cualquier receta nunca ha de faltarles el
queso adecuado, ya sea nacional o de
importación, y que tanto con unos como
con otros los resultados pueden ser a veces
idénticos dentro de sus particularidades.

Foto de la pág. 55: Las fases de trabajo más importantes para el souflé de queso al estilo suizo. Receta pág. 22.

◁ Tostadas de champiñones y espinacas, para tomar entre horas. Receta pág. 29.

Nombre Clase Tipo de leche	Contenido graso en masa seca Julios/Calorías por cada 100 g	Color interior Sabor	Receta Uso Duración Sugerencia
Alemania			Receta págs. 12, 21
Emmental de Allgäu (ver también Suiza) Queso duro · Leche entera de vaca	Por lo menos 45% de grasa 1743 KJ/417 Kcal	Crema a amarillento, grandes agujeros marcados Dulce a picante	Queso de mesa Para Fondue de queso y platos calientes de queso Para bocadillos 3-4 semanas de duración
Bavaria blu Queso blando, tipo doble nata con moho blanco exterior y moho azul interior Leche entera de vaca	70% de grasa 1925 KJ/460 Kcal	Amarillo cremoso con venas azules de moho Cremoso, aromático, de sabor suave	Apropiado para postre, para salsas 8 semanas de duración
Bergkäse (queso montañés) Queso duro Leche entera de vaca	45-49,5 % de grasa 1588-1672 KJ/380-400 Kcal	Color crema mate, Sabroso, dulzón, picante	Queso de mesa Su uso en la cocina, como el Emmental de Allgäu Se acompaña de vino blanco o tinto 4 semanas de duración
Brie (ver también Francia) Queso blando con moho Pasteurizado Leche entera de vaca	45, 50 y 60 % de grasa 1538 KJ/368 Kcal con 50 % de grasa	Color crema Suave, dulzón a fuerte y picante, según el grado de madurez	Queso de mesa Con pan integral y cerveza Se mantiene 1 semana en sitio fresco
Queso de nata Queso de corte semiduro Leche entera de vaca caliente	45, 50 y 55 % de grasa 1509 KJ/361 Kcal con 50 % de grasa	Color crema a amarillento Agridulce suave	Queso de mesa Para tostadas o souflés, untado con mostaza 2-4 semanas de duración
Camembert (ver también Francia) Queso blando con moho Leche entera de vaca caliente	Grados de grasa con valores mínimos de 30, 40, 45, 50, 60 a 85 % de grasa Con 30 % de grasa 940 KJ/225 Kcal, con 60 % de grasa 1664 KJ/398 Kcal	Color crema amarillento Suave dulzón a picante penetrante	Receta págs. 44, 46 Preferentemente queso de mesa Para freír ligeramente en grasa o como postre con salsa de frutas Se mantiene 1 semana aproximadamente

Los principales quesos de Europa

Nombre Clase Tipo de leche	Contenido graso en masa seca Julios/Calorías por cada 100 g	Color interior Sabor	Receta Uso Duración Sugerencia
Chester (Cheddar) (ver también Gran Bretaña) Queso duro Leche entera de vaca	45 y 50 % de grasa Como materia en crudo para queso fundido, también semigraso y descremado 1743 KJ/417 Kcal con 50 % de grasa	Amarillo ocre a amarillo anaranjado Sabroso, ligeramente picante	Receta págs. 14, 24, 28 Queso de mesa Para platos calientes y tostadas, con pan de comino y con ostras 4 semanas de duración
Edam (ver también Países Bajos) Queso de corte Pasteurizado Leche entera de vaca	De magro a queso graso con 30, 40, 45 ó 50 % de grasa 1425 KJ/341 Kcal con 40 % de grasa	Crema a amarillo dorado, pocos agujeros Suave, ligeramente dulzón	Queso de mesa En dados, con uvas, acompañado de vino blanco o cerveza 2 semanas de duración
Edelpilz Queso de corte semiduro Leche entera de vaca, pasteurizada También leche de oveja	45, 50 y 60 % de grasa 1726 KJ/413 Kcal con 50 % de grasa	Color crema y verde-lila Dulce-agridulce a picante	Queso de mesa Mezclado con mantequilla para tomar con apio crudo 2 semanas de duración
Geheimrat Queso de corte Pasteurizado Leche entera de vaca	Por lo menos 45 % de grasa 1609 KJ/385 Kcal con 45 % de grasa	Color crema a amarillo dorado, fino, suave Ligeramente dulce	Queso de mesa Para dados, sin pan y acompañado de un Borgoña o Rioja 2-3 semanas de duración
Gouda (ver también Países Bajos) Queso de corte Pasteurizado Leche entera de vaca	30, 40, 45, y 50 % de grasa 1555 KJ/ 372 Kcal con 45 % de grasa	Marfil, crema Dulzor fino, suave a ligeramente picante	Receta pág. 32 Queso de mesa De uso múltiple, en dados acompañado de cerveza. 2-3 semanas de duración
Harz Queso de moho Pasteurizado Leche entera de vaca	Exclusivamente descremado 10 % de grasa 804 KJ/ 192 Kcal	Color arenoso con grano claro Picante-agrio	Queso de mesa Apropiado para curas de adelgazamiento con algo de pan de pueblo y mosto 4 semanas de duración
Limburgo (ver también Bélgica bajo la denominación "Herve") Queso blando sin moho fácil de untar Leche de vaca caliente o leche entera de vaca	20, 30, 40, 45 y 50 % de grasa 1208 KJ/289 Kcal con 40 % de grasa	Crema claro a amarillo claro Picante a penetrante	Queso de mesa A partes iguales con requesón sobre tostadas y gratinado acompañado de Oporto seco 1 semana de duración

Los principales quesos de Europa

Nombre Clase Tipo de leche	Contenido graso en masa seca Julios/Calorías por cada 100 g	Color interior Sabor	Receta Uso Duración Sugerencia
Queso de Münster (ver también Francia bajo la denominación Munster) Queso blando, sin moho, pasteurizado Leche entera de vaca	45 y 50 % de grasa 1338 KJ/320 Kcal con 45 % de grasa	Color crema suave, amarillo Suave a picante	Preferentemente queso de mesa Con queso de doble nata sobre tostadas y gratinado 1 semana de duración
Queso fresco de nata y doble nata Pasteurizado Leche entera de vaca	Por lo menos 50 a 60 % de grasa, máximo 85 % 1480 KJ/354 Kcal con 60 % de grasa	Blanco lechoso Cremoso y dulce	Queso de mesa Para postres y platos dulces, con nata y vainilla para tomar con dátiles frescos 1 semana de duración
Romadur Queso blando sin moho Leche caliente de vaca, descremado a graso	20, 30, 40, 45, 50 y 60 % de grasa 1212 KJ/290 Kcal con 40 % de grasa	Marfil a amarillo Suave a picante	Preferentemente queso de mesa Se sirve con Oporto no muy dulce 1-2 semanas de duración
Steinbuscher Queso de corte semiduro Pasteurizado Leche entera de vaca	30, 45 y 50 % de grasa Con 45 % de grasa 1547 KJ/370 Kcal	Marfil Ligeramente picante	Queso de mesa Apropiado también para salsas de queso con pan de pueblo y acompañado de vino tinto 2 semanas de duración
Tilsit Queso de corte Leche entera caliente de vaca	30, 40, 45 y 50 % de grasa Con 45 % de grasa 1563 KJ/374 Kcal	Marfil a ocre claro Agujeros pequeñísimos Seco a picante	Receta págs. 35, 40 Queso de mesa y también para Raclette, souflés de patatas o salsas de queso Se sirve con vino tinto fuerte de Rioja 2 semanas de duración
Queso de vino Queso tierno sin moho Leche entera de vaca, pasteurizada	30, 40, 45 y 50 % de grasa Con 45 % de grasa 1463 KJ/350 Kcal	Crema a amarillo Suave, agradable al paladar	Queso de mesa Como acompañamiento para vino blanco Para mezclar en trocitos con la lechuga 2 semanas de duración

Los principales quesos de Europa

Nombre Clase Tipo de leche	Contenido graso en masa seca Julios/Calorías por cada 100 g	Color interior Sabor	Receta Uso Duración Sugerencia
Weisslacker Queso de corte semiduro Leche entera caliente de vaca	 40, 45, y 50 % de grasa Con 45 % de grasa 1567 KJ/375 Kcal	Color marfil Con pequeños agujeros aislados Picante	Queso de mesa para tomar con ñoquis de patata en papel de aluminio. 3-4 semanas de duración
Wilstermarsch Queso de corte semiduro Leche entera caliente de vaca	 45 y 50 % de grasa con 45 % de grasa 1567 KJ/375 Kcal	 Crema a amarillento Fuerte tirando a agrio	Receta pág. 40 Queso de mesa Para usar como el de Tilsit Apropiado para gratinar 2-3 semanas de duración

Bélgica

Gouda (ver también Países Bajos) Queso de corte Leche entera de vaca	 48-50 % de grasa 1756 KJ/420 Kcal	 Crema a ocre Ligeramente dulce, más tarde picante	Receta pág. 32 Para bocadillos, souflés Se acompaña de vino tinto
Herve Similar al "Limburgo" alemán Queso blando Leche entera de vaca	 Tierno 46-54 %, curado 63 % de grasa 1379-1672 KJ/330-400 Kcal	 Corteza ocre oscuro a parda-amarillenta, Corte amarillo Suave a fuerte	Para bocadillos, después de cortarlo usarlo rápidamente Se acompaña de vino tinto del país, mosto o sidra

Bulgaria

Bjalo (Belo) Salamureno Queso fresco Leche entera de vaca o de oveja	 Por lo menos 46 % de grasa 1588 KJ/380 Kcal	 Blanco a amarillento, sin corteza Ligeramente agrio, parecido al requesón	Para platos tipo pizza y souflés Se mantiene 1 semana en el frigorífico Para mezclar con ensalada
Kaškaval Queso de corte semiduro Leche de oveja	 Por lo menos 50 % de grasa 1714 KJ/410 Kcal	 Amarillo-ocre a ámbar Fuerte y picante	Queso de mesa Para souflés y pastel de queso salado Se mantiene varios meses Se sirve con vino tinto del país o con cerveza

Los principales quesos de Europa

Nombre / Clase / Tipo de leche	Contenido graso en masa seca / Julios/Calorías por cada 100 g	Color interior / Sabor	Receta / Uso / Duración / Sugerencia

Dinamarca

White Castello / Blue Castello

Queso blando y queso blando con moho, respectivamente		Color marfil	Queso de mesa
		Suave y cremoso y	Se mantiene de 1-2
Leche entera de vaca con nata	70 % de grasa 1735 KJ/415 Kcal	picante y cremoso respectivamente	semanas Se sirve con aguardiente

Danablue

			Queso de mesa
			Se mantiene 2 semanas
Queso de corte con moho interno	50 % y 60 % de grasa 1477 KJ/351 Kcal con	Color crema con venas azul-verde-violeta	Mezclado con mantequilla adecuado
Leche entera de vaca	50 % de grasa	Ligeramente picante	para untar el pan

Danbo

		Color crema con agujeros escasos del	Receta pág. 33 Queso de mesa
(Queso estepario danés)	Por lo menos 45 % de	tamaño de un guisante	Se mantiene de 4-5 semanas
Queso de corte	grasa	Suave y aromático,	Rallado para la salsa a
Leche entera de vaca	1438 KJ/344 Kcal	también con comino	la pimienta

Elbo

			Queso de mesa
	30, 40 y 45 % de grasa	Color crema con pequeñas agujeros	Bueno para aperitivos o para tostadas
Queso de corte	1074 KJ/257 Kcal con	Suave y aromático,	4-5 semanas de
Leche entera de vaca	30 % de grasa	también con comino	duración

Esrom

	45 % y 60 % de grasa 1410, 1731 KJ	Color crema con	
	respectivamente/344,	abundantes agujeritos	Queso de mesa
Queso de corte	414 Kcal	Suave, agridulce,	Con pan negro integral
Leche entera de vaca	respectivamente	aromático	2 semanas de duración

Fynbo

			Queso de mesa
		Color crema a color	Bueno para pinchos de
	Por lo menos 45 % de	paja con escasos	cocktail
Queso de corte	grasa	agujeros	4-5 semanas de
Leche entera de vaca	1438 KJ/344 Kcal	Suave	duración

Havarti

			Queso de mesa
	30 %, 45 % y 60 % de		Para Raclette o ñoquis
	grasa	Marfil a amarillo claro	de patata y queso
Queso de corte	1730 KJ/414 Kcal con	Pequeños agujeros	1-2 semanas de
Leche entera de vaca	60 % de grasa	Fuerte, sabroso	duración

Los principales quesos de Europa

Nombre Clase Tipo de leche	Contenido graso en masa seca Julios/Calorías por cada 100 g	Color interior Sabor	Receta Uso Duración Sugerencia
Maribo Queso de corte Leche entera de vaca	30 y 45 % de grasa 1438 KJ/344 Kcal con 45 % de grasa	Color crema a amarillo, abundantes agujeritos Suave, agridulce	Queso de mesa Fundir sobre tostadas calientes con huevo frito 4-5 semanas de duración
Samsø Queso de corte Leche entera de vaca	30 y 45 % de grasa 1074 KJ/257 Kcal con 30 % de grasa	Amarillento con pocos agujeros Suave, dulce a picante, según la edad	Receta pág. 32 Queso de mesa Para ensalada de queso o pinchos 4-5 semanas de duración
Tybo Queso de corte Leche entera de vaca	30, 40 y 45 % de grasa 1329 KJ/318 Kcal con 40 % de grasa	Amarillo con agujeritos Suave, agridulce, también con mezcla de comino	Queso de mesa Para pinchos, con un trozo de manzana y acompañado de aguardiente 4-5 semanas de duración

Francia

Nombre Clase Tipo de leche	Contenido graso	Color interior Sabor	Uso Duración
Banon Queso fresco Leche entera de vaca, también leche de cabra	50 % de grasa 1344 KJ/321 Kcal	Blanco Sabroso tirando a agrio	Queso de mesa Para tostar con vino tinto o rosado 2 semanas de duración
Bresse Bleu Queso tierno con moho interno Leche entera de vaca	50 % de grasa 1317 KJ/315 Kcal	Crema, con venillas de moho Ligeramente picante	Receta pág. 48 Queso de mesa Con vino de Beaujolais 3 semanas de duración
Brie Queso tierno Leche entera de vaca, cruda o pasteurizada	50 % de grasa 1310 KJ/312 Kcal	Color marfil a amarillo dorado Suave aromático a picante	Consumir muy fresco Con vino de Borgoña 2-3 semanas de duración
Camembert Queso tierno Leche entera de vaca	45 y 50 % de grasa 1310 KJ/312 Kcal con 45 % de grasa	Color crema Suave y aromático a picante	Recetas págs. 44 y 46 Queso de mesa Con pan blanco de barra y vino tinto de Burdeos 2-3 semanas de duración

Los principales quesos de Europa

Nombre Clase Tipo de leche	Contenido graso en masa seca Julios/Calorías por cada 100 g	Color interior Sabor	Receta Uso Duración Sugerencia
Carré de l'Est Queso tierno Leche entera de vaca	 45 % de grasa 1310 KJ/312 Kcal	Amarillo suave Tierno = ligeramente agrio Curado = suave y aromático	 Queso de mesa Con vino tinto suave 3-4 semanas de duración
Catalou (Nombre de fábrica, usado a menudo para la designación del queso del Pirineo) Queso de corte, también con adición de comino Leche entera de vaca u oveja	 51 % de grasa 1547 KJ/370 Kcal	 Amarillo pálido Vaca = suave Oveja = más sabroso	 Receta págs. 39, 42 Queso de mesa Con vino rosado de Béarn o Edelzwicker 5 semanas de duración
Chabichou Queso tierno Leche entera de cabra	 50 % de grasa	Debajo de la corteza color crema, el resto blanco Fuerte, picante	 Queso de mesa Con vino del país 4 semanas de duración
Comté Queso duro Leche entera de vaca	 45 % de grasa 1715 KJ/410 Kcal	 Amarillo claro a oscuro Suave a aromático, gana en sabor con su conservación	Queso de mesa Para fondue, Gougère (una especie de buñuelos de viento de queso) Con vino blanco, rosado o tinto fino 6-8 semanas de duración
Livarot Queso tierno Leche entera de vaca	 40 % de grasa 1310 KJ/312 Kcal	 Casi amarillo dorado Aromático-fuerte	Queso de mesa Con vino tinto fuerte 4-5 semanas de duración
Munster (también Géromé) Queso tierno Leche entera de vaca	 45 % de grasa 1344 KJ/321 Kcal	 Marfil a amarillo Picante Ligeramente ácido	Queso de mesa Se toma también espolvoreado con comino y acompañado de cerveza 1-2 semanas de duración

Los principales quesos de Europa

Nombre Clase Tipo de leche	Contenido graso en masa seca Julios/Calorías por cada 100 g	Color interior Sabor	Receta Uso Duración Sugerencia
Pont-L'Evêque Queso tierno Leche entera de vaca	45 % de grasa 1310 KJ/312 Kcal	Curado amarillo Muy condimentado	Queso de mesa Con vino tinto fuerte como Saint Emilion 4-5 semanas de duración
Port Salut (Queso de los Trapenses) Queso de corte semiduro Leche entera de vaca, pasteurizada	40 % de grasa 1527 KJ/365 Kcal	Marfil Aromático suave	Queso de mesa Con vino tinto fuerte, del país 2-3 semanas de duración
Queso de pirámide Queso tierno Leche entera de cabra	50 % de grasa	Uniforme, crema claro Fuerte, picante	Queso de mesa Con vino rosado o Rioja suave 4 semanas de duración
Reblochon Queso de corte semiduro Leche entera de vaca	45 % de grasa 1359 KJ/325 Kcal	Amarillo pálido Sabroso	Queso de mesa Con vino blanco seco 5 semanas de duración
Reybier Queso con nueces o pimienta Preparado con queso fundido Leche entera de vaca	55 % de grasa 1317 KJ/315 Kcal	Marfil Suave-aromático	Queso de mesa Con vino blanco seco (Graves) o Rosé de Bergerac 2 semanas de duración
Roquefort Queso de corte semiduro Queso de moho Leche entera de oveja	55 % de grasa 1729 KJ/415 Kcal	Crema con venillas de moho gris verdoso Sabroso- picante	Receta pág. 49 Con vino tinto fuerte Châteauneuf-du-Pape o Sauternes No más de 2 meses de duración
Saint Maure Queso tierno Leche entera de cabra	50 % de grasa	Debajo de la corteza, crema; el resto blanco Fuerte, condimentado	Queso de mesa Con Touraine blanco o tinto 1-2 semanas de duración

Los principales quesos de Europa

Nombre Clase Tipo de leche	Contenido graso en masa seca Julios/Calorías por cada 100 g	Color interior Sabor	Receta Uso Duración Sugerencia
Saint Paulin Queso de corte semiduro Leche entera de vaca, pasteurizada	50 % de grasa 1527 KJ/365 Kcal	Crema a amarillo paja Muy suave	Queso de mesa Con vino blanco, rosado y tinto suave de la Côte de Provence 2-3 semanas de duración
Tomme de Savoie Queso de corte semiduro Leche entera de vaca, cruda o pasteurizada	40 % de grasa 1255 KJ/300 Kcal	Amarillo pálido, debajo de la corteza, a menudo gris amarillento Suave-aromático	Queso de mesa Con vino blanco, rosado y tinto, Vin de Savoie 5 semanas de duración

Gran Bretaña

Nombre Clase Tipo de leche	Contenido graso en masa seca	Color interior Sabor	Receta Uso Duración
Stilton azul Queso semiduro con moho interno Leche entera de vaca, pasteurizada	54 % de grasa 1588 KJ/380 Kcal	Crema con venillas azul violeta Suave a picante	Como postre acompañado de Oporto 4 semanas de duración
Cheddar (a menudo con la denominación Chester) Queso duro Leche entera de vaca, pasteurizada	52-54 % de grasa 1547 KJ/ 370 Kcal	Crema a anaranjado (el color rojizo con semillas de Annatto) Fuerte, puro	Receta págs. 14, 24, 28 Con pan, cerveza y vino, para galletas de queso, gratinados y ensaladas 1-2 meses de duración
Cheshire (eventualmente con moho interno "Cheshire azul") Queso duro Leche entera de vaca, pasteurizada	52-54 % de grasa 1463-1630 KJ/350-390 Kcal	Amarillo cremoso a rojo-naranja, con moho interno en venillas azules hasta la corteza Fuerte, sazonado	En dados, como aperitivo, con pan de comino y vino blanco acompañado de ostras 1-2 meses de duración

Grecia

Nombre Clase Tipo de leche	Contenido graso en masa seca	Color interior Sabor	Receta Uso Duración
Feta (Regionalmente también Telemes) Queso tierno, queso Lake En su origen, con leche de oveja y cabra Actualmente, leche entera de vaca	45-59 % de grasa 1509 KJ/361 Kcal con 50 % de grasa	Blanco a crema en trozos irregulares Suave a picante Aromático	En salmuera, varios meses de duración; seco, 1 semana aproximadamente Buena mezcla para ensalada de lechuga o platos del país Desde hace algunos años se fabrica en Dinamarca y Alemania

Los principales quesos de Europa

Nombre Clase Tipo de leche	Contenido graso en masa seca Julios/Calorías por cada 100 g	Color interior Sabor	Receta Uso Duración Sugerencia

Italia

Asiago Queso duro, de corte y también para rallar Leche entera de vaca, en parte descremada	40-52 % de grasa	Color paja con pequeños agujeros Se desmigaja con facilidad Picante	Queso de mesa Queso para rallar Para platos calientes Con vino blanco seco 1-2 meses de duración
Bel Paese (Nombre genérico itálico) Queso de corte semiduro Leche entera de vaca, pasteurizada	50-52 % de grasa	Marfil a amarillento Cremoso suave Algo agrio	Receta pág. 41 Bueno para gratinar En dados con aguardiente 1-2 semanas de duración
Fontina Queso de corte Leche entera de vaca	45 % de grasa	Crema a amarillo paja Pocos agujeros Dulzón-sazonado	Queso de mesa y para platos calientes con Valpolicella o Borgoña 2-3 semanas de duración
Gorgonzola Queso de corte semiduro Con moho interno Leche entera de vaca, fresca o pasteurizada	48 % de grasa 1672 KJ/400 Kcal	Crema con venillas azul-violeta Dulzón-picante	Receta pág. 49 Queso de mesa Para mezclar con ensaladas o para salsas 1 semana de duración
Mascarpone/ Mascherpone Queso fresco de nata agriada De nata fresca de leche de vaca	45-50 % de contenido de grasa absoluta 1884-2595 KJ/450-620 Kcal	Blanco a color paja Fácil de untar Sabor suave a nata Parecido a crema fresca	Receta pág 47 Azucarado con confituras, jarabes o vinos dulces Pocos días de duración Puede usarse en lugar de requesón o nata fresca
Mozarella Queso fresco Leche entera de vaca o búfala	45 % de grasa	Blanco a crema, como el color exterior Suave-agridulce	Receta pág. 44 Queso de mesa Para ensaladas o pizzas, tartaletas de hojaldre o gratinados En salmuera, 1-2 semanas de duración

Los principales quesos de Europa

Nombre / Clase / Tipo de leche	Contenido graso en masa seca Julios/Calorías por cada 100 g	Color interior Sabor	Receta Uso Duración Sugerencia
Parmesano			Como queso rallado para pastas, sopas, gratinados, en trozos como aperitivo
(Parmigiano Reggiano) Queso duro, para rallar Leche entera de vaca, ligeramente descremada	32 % de grasa	Amarillo paja a crema Sabor picante, suave y agradable	Con vino tinto Varios meses de duración
Pecorino		Casi blanco, amarillento a pardo Según su curación,	Rallado para gratinados, en dados para
Queso duro Leche de oveja, pasteurizada	36 % de grasa	suave a picante suave A menudo sazonado con pimienta	acompañar con vino tinto italiano 1-2 meses de duración
Provolone		Amarillo-naranja En queso tierno, dulce suave, mantecoso; con	Queso de mesa En pequeños trozos para tortitas
Queso duro Leche entera de vaca	44 % de grasa	el tiempo adquiere sabor picante	Unas 2 semanas de duración
Ricotta Queso de cabra elaborado con suero de oveja o de vaca Se encuentra en el mercado como queso fresco o curado y bajo diferentes nombres	20-78 % de grasa 984-2400 KJ/236-560 Kcal	Blanco a crema De consistencia cremosa Dulce-cremoso a salado	Receta pág. 47 Para postres y salsas, como relleno de pastas Según el grado de curación, pocos días o hasta 3 semanas de duración
Taleggio			Queso de mesa Acompañado de pan
Queso tierno o queso de corte semiduro Leche entera de vaca	48 % de grasa	Crema a amarillo paja Aromático, tipo nata, dulce	francés crujiente y vino tinto 1 semana de duración
Países Bajos			
Edammer Kaas Queso de corte Leche entera de vaca	40 % de grasa 1464 KJ/350 Kcal 53 % de grasa 1683 KJ/402 Kcal	Crema a amarillo paja Fresco: ligeramente agrio Curado: más amargo	Queso de mesa Sin pan con mantequilla fresca 2-3 semanas de duración
Goudse Kaas (Gouda) Queso de corte Leche entera de vaca	48-50 % de grasa 1647 KJ/400 Kcal	Amarillo paja Tierno Ligeramente dulce Gouda curado picante; también con comino	Receta pág. 32 Gouda tierno para bocadillos o canapés Para rallar: Gouda curado 2-3 semanas de curación

Los principales quesos de Europa

Nombre Clase Tipo de leche	Contenido graso en masa seca Julios/Calorías por cada 100 g	Color interior Sabor	Receta Uso Duración Sugerencia
Leidse Kaas (Queso Leiden) Queso de corte y también duro Leche entera de vaca o en parte descremada	20 y 40 % de grasa 984-1482 KJ/235-354 Kcal	Crema a marfil Sazonado picante con indicios de aroma de comino	Queso de mesa En dados con cerveza 3-4 semanas de curación
Pikantje (Gouda semicurado) Queso de corte Leche entera de vaca	8-50 % de grasa 1704 KJ/407 Kcal	Amarillo paja Puro, ligeramente dulce Sabroso	Receta pág. 32 Para pinchitos acompañado de cerveza 2-3 semanas de duración
Suiza **Queso de los Alpes (Alpenkäse)** Queso duro Leche entera de vaca	18, 25, 35 y 45 % de grasa 984/1222/1482/1687 KJ/ 235/292/354/403 Kcal	Amarillento-marfil Suave aromático	Queso de mesa Para platos calientes Rallado para platos de pasta 4 semanas de duración
Appenzell Queso semiduro Leche entera de vaca	50 % de grasa 1674 KJ/400 Kcal	Crema-marfil con agujeros pequeños aislados Sazonado, fuerte	Receta pág. 22 Queso de mesa Rallado grueso para huevo revuelto 3-4 semanas de duración
Emmental Queso duro Leche entera de vaca	45 % de grasa 1704 KJ/407 Kcal	Marfil-crema Agujeros grandes Suave aromático Dulzón	Receta pág. 12 Queso de mesa Con pan integral, mantequilla y leche 3-4 semanas de duración
Greyerzer (Gruyère) Queso duro Leche entera de vaca	45 % de grasa 1725 KJ/412 Kcal	Marfil a amarillento Agujeros medianos Fuerte, sazonado	Receta págs. 17, 22, 25, 30 Queso de mesa En dados acompañado de vino blanco o tinto 3-4 semanas de duración
Sbrinz Queso duro, extraduro Leche entera de vaca	45 % de grasa 1833 KJ/438 Kcal	Pardo claro-amarillo Agujeros pequeñísimos Sabroso-aromático	Receta pag. 16 Mejor para rallar y cortar con la guillotina que para lonchas Para gratinado de espárragos Varios meses de duración

Los principales quesos de Europa

Nombre Clase Tipo de leche	Contenido graso en masa seca Julios/Calorías por cada 100 g	Color interior Sabor	Receta Uso Duración Sugerencia
Schabziger (Queso de hierbas) Queso semiduro para rallar Leche magra de vaca o suero de vaca	3 % de grasa 620 KJ/148 Kcal	Gris verdoso Sabroso, muy picante	Rallado sobre pan o mezclado con mantequilla para untar, espolvoreado sobre huevos poché 1 año de duración
Vacherin Queso semiblando Leche entera de vaca, cruda o pasteurizada	45 % de grasa 1528 KJ/365 Kcal	Marfil Agujeros irregulares Suave y cremoso	Queso de mesa Para Fondue 1-2 semanas de duración
Walliser **(Valais)** Para Raclette Queso semiduro Leche entera de vaca	50 % de grasa 1683 KJ/402 Kcal	Crema Con pequeños agujeros aislados Suave-sabroso	Receta pág. 26 Para Raclette y como queso de mesa Con tostadas calientes y huevo frito 2-3 semanas de duración

Índice general

Índice general

Fotos color: Foto-Studio Teubner y C. P. Fischer (pág. 55)
Grabados: Ingrid Schütz, Munich

Título original
Die besten Rezepte mit Käse

Traducción y revisión
Mª del Carmen Vega Álvarez

© Grafe und Unzer Gmbh, Munich
EDITORIAL EVEREST, S. A.
Carretera León-La Coruña, km 5 - LEÓN
ISBN: 84-241-2261-5
Depósito legal: LE. 472 –1988
Printed in Spain - Impreso en España

EDITORIAL EVERGRÁFICAS, S. A.
Carretera León-La Coruña, km 5
LEÓN (España)